죠죠리온

문학동네

JOJO'S BIZARRE ADVENTURE PART 8 JOJOLION 14

First published in Japan in 2011 by SHUEISHA Inc., Tokyo.
Korean translation rights in Republic of Korea arranged by SHUEISHA Inc.
through Shinwon Agency Co. and The Sakai Agency Inc.
Korean edition, for distribution and sale in Republic of Korea only.

volume

14 히가시카타가의 아침

죠죠리온

JoJolion ★★★★★★★ 죠죠의 기묘한 모험 Part8

Jojo's bizarre adventure

아라키 히로히코

Hirohiko Araki & Lucky Land Communications

모리오초 인물 소개

히가시카타 죠스케(추정 19세)

'벽의 눈'에서 발견된 신원 불명의 청년. 어깨에 별 모양의 반점이 있다. 히가시카타가에 거둬져 '죠스케'라는 이름을 받는다. 죽은 키라 요시카게의 육체와 일부 융합한 '쿠죠 죠세후미'였음이 판명됐다. 기억은 아직 돌아오지 않았다.

죽음의 문턱에서 로카카카를 먹고, 몸의 일부가 죠세후미와 융합

쿠죠 죠세후미(19)

어렸을 적 키라의 어머니 홀리에 의해 목숨을 구한 청년. 홀리를 위해 로카카카를 훔친다는 키라의 계획에 협력했다.

키라 요시카게(29)

어머니의 병을 낫게 하기 위해 로카카카의 가지를 바위인간에게서 훔쳤지만, 나중에 그 사실이 발각되어 살해당했다. 직업은 선의船醫.

키라 홀리 죠스타(52)

키라 요시카게의 어머니. TG대 병원에 입원중.

히로세 야스호(19)

모리오초에 사는 대학생. '벽의 눈'에서 우연히 발견한 죠스케의 신원을 알아내고자 행동을 함께한다.

히가시카타 죠빈(32)

히가시카타가의 장남. 매일매일이 여름방학인 것처럼 사는 타입.

노리스케(59)

히가시카타가의 가장. 히가시카타청과의 제4대 점주.

히가시카타 미츠바(31)

장남 죠빈의 아내.

히가시카타 죠슈(18)

히가시카타가의 차남. 야스호의 소꿉친구로 같은 대학에 다닌다. 야스호를 좋아한다.

히가시카타 츠루기(9)

장남 죠빈과 미츠바의 아들. 액막이를 위해 여자애 차림으로 지내고 있다.

히가시카타 하토(24)

히가시카타가의 장녀. 모델.

니지무라 케이(22)

키라 요시카게의 여동생. 히가시카타가의 비밀을 알아내고자 가정부인 척 숨어들었다.

히가시카타 다이야(16)

히가시카타가의 차녀. 죠스케를 좋아한다.

지난 줄거리

지진이 일어난 후 마을 안에 나타난 융기물 '벽의 눈' 근처에서 발견된 수수께끼의 청년은 히가시카타가에 거둬져 '죠스케'라는 이름을 받는다.
죠스케는 자신의 신원을 조사하던 중, 등가교환의 효과를 가진 과일 '로카카카'가 자신이 누구인지 밝혀줄 열쇠임을 알게 되고, 그 소재를 찾아내는 데 성공한다.
그 무렵, 히가시카타가의 장녀 하토가 남자친구를 데리고 온다. 다모 타마키라고 이름을 밝힌 수상쩍은 남자를 보고 곤혹스러워하는 일동. 머지않아 다모의 공격으로 히가시카타가에는 괴멸적인 상황이 벌어지고 마는데…! 다모의 정체는 로카카카를 밀매하고 있던 바위 인간들의 보스로, 과거 로카카카의 가지를 훔친 '쿠죠 죠세후미'를 찾아내는 것이 목적이었다.
노리스케를 고문하며 비밀을 캐내려는 다모. 이윽고 밝혀진 것은 '죠스케'='죽은 키라가 일부 융합한 죠세후미'라는 사실이었다! 이를 알게 된 다모가 죠스케를 표적으로 삼는 순간, 그에게 속았다는 걸 알게 된 하토가 반격에 나선다. 참극의 결말은…?

★★★★★ MORI OH CHO MAP 모리오초 지도

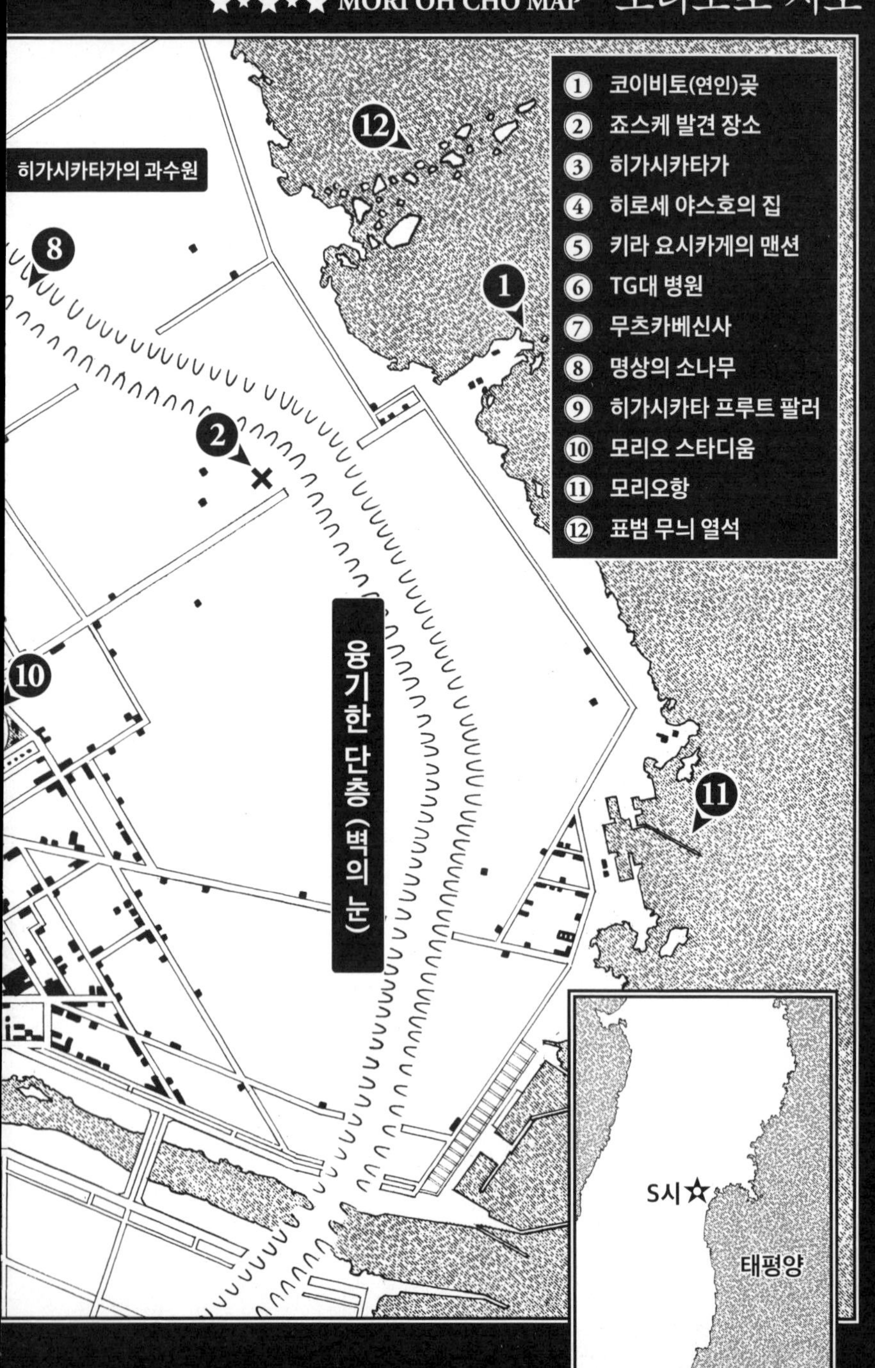

① 코이비토(연인)곶
② 죠스케 발견 장소
③ 히가시카타가
④ 히로세 야스호의 집
⑤ 키라 요시카게의 맨션
⑥ TG대 병원
⑦ 무츠카베신사
⑧ 명상의 소나무
⑨ 히가시카타 프루트 팔러
⑩ 모리오 스타디움
⑪ 모리오항
⑫ 표범 무늬 열석
히가시카타가의 과수원
융기한 단층 (벽의 눈)
S시☆
태평양

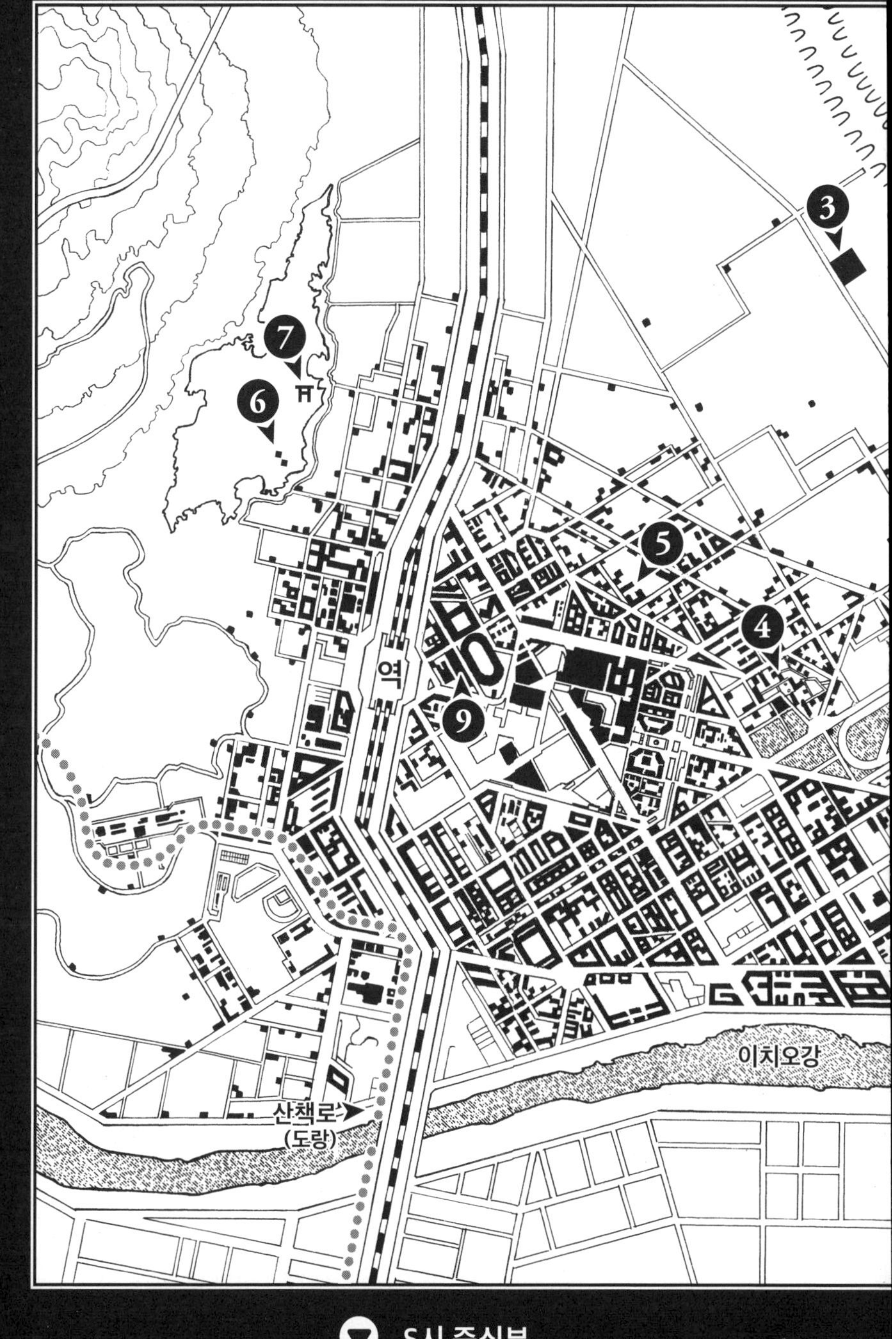

3
7
6
5
4
역
9
이치오강
산책로
(도랑)

S시 중심부

차례★

히가시카타가의 아침

volume 14

Jojo's bizarre adventure, part8

JoJolion

#055
워킹 하트
브레이킹 하트

'다모 타마키'.
넌 혼자 왔어.
팀은 소수 정예로 움직이고 있지. 보스는 너고.
만약 네게 또다른 동료가 있으면… 여기에 이미 와 있겠지.
'과일'의 비밀 유지와 독점을 위해서인지 …

헉
헉
헉
헉
…… ……

만약 동료가 지금 이리로 온다면 분명 너의 이번 '숙청'은 성공했을 거야.
하지만 없어…
넌 혼자야.
즉시 이 집을 떠나는 게 좋을걸.
'하토짱'이 널 쓰러뜨릴 테니까.
도도도도도

'벽의 눈' 아래 땅속에서 죽어 있던
'키라 요시카게'의 시신은 나와 요츠유가 확인했어.
분명 '키라'였어.
ドド

하지만… DNA가 100% 일치한 건 아니었는지도 몰라.
확인한 얼굴도 완전한 상태는 아니었을 수도 있어.

도도도도도

시신 안치소에서 확인한…

DNA의 정보도 '키라'와 일치했고.

도도도도

온 세상의 부자들이 최고로 기뻐할 게 틀림없어. 대서특필 감이라고…
이를 테면 내가 죽어도— 어느 '누군가'와 교환이 된다니 말이야…
어떤 스탠드유저든… 결국 그 힘은 '성격'에 비례해. 꼬셨을 때와 마찬가지로 쉬운 여자야…
찾아야 할 건 '접목'한 '로카카카'의 '가지'야…
집 밖으로 나간 '하토' 따위 아무런 문제도 되지 않아.
곧 죽여 주마.
밖으로 나갈 수 있었던 건 죠세후미의 도움이 있었기 때문인데다
아직 어딘가에 있을 '가지'를 어떻게든 찾아내는 게 중요해…
도도도

고오오오-오
스스쓱
스스쓱

뚜벅
뚜벅
뚜벅

뚜벅
저벅

저벅
'하토'.
지붕 위로 올라갔군…
설마 위에서 날 노리고 있나?

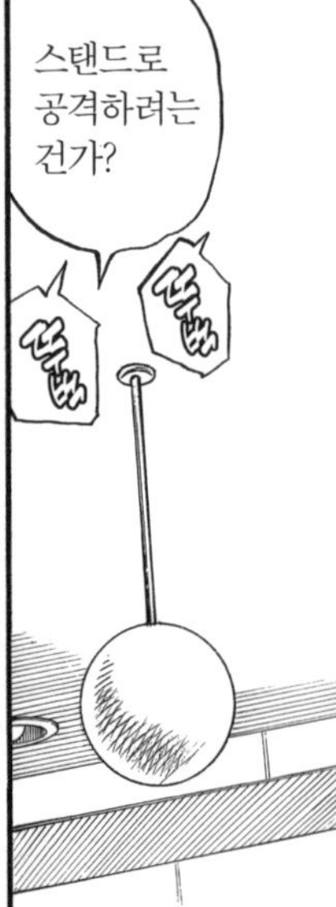
스탠드로 공격하려는 건가?
뚜벅
뚜벅

날 이겨볼 셈이군?

그런 점이…
그런 근거 없는 자신감이…
스윽

철부지 계집애의 약점 이라고…

스윽

역시 쉬운 여자야.
완전히 내 '사정거리' 밖으로 나갔다고 믿어 의심치 않는 점이 말이야…

달그락 뒤적뒤적

찾았다…

찰칵

이리 와!
다시 아빠 차례다!
크…

질질

으윽, 크윽~!

호물호물

치덕치덕 치덕
치덕치덕 치덕치덕

찰칵
찰칵
찰칵
찰칵
화악

쓰우우-욱

그림이 그려지는군.
하토짱, 넌 반드시 굴뚝으로 접근할 테지.
그리고 '비타민C'의 사정거리 밖임에도 불구하고 또다시 흐물흐물 녹아버릴 거다.
화악
우웃
이글이글
촤아아아악
스윽
크흐억!
이글이글

이글이글 이글
우오아
아아아
아아아아아
이글
이글이글
아아아!

고오
우읏,
오옷!
아아
우오아아

아아아!
가까이 오고 싶어지지?
딸이 듣기에 좋은 소리는 아니지만, 아버지가 또다시 비명을 지르고 있으니까.
하토짱… 그 소리를 들으며…
타는 냄새를 맡으면서…
고오오오

끈적 끈적끈적
'지문'을
건드리고
냉큼
죽어라!
아아아아아아아아

투콰오오옹
뿌걱!

케에—엑
콰직
콰직
둥실둥실
둥실
큭

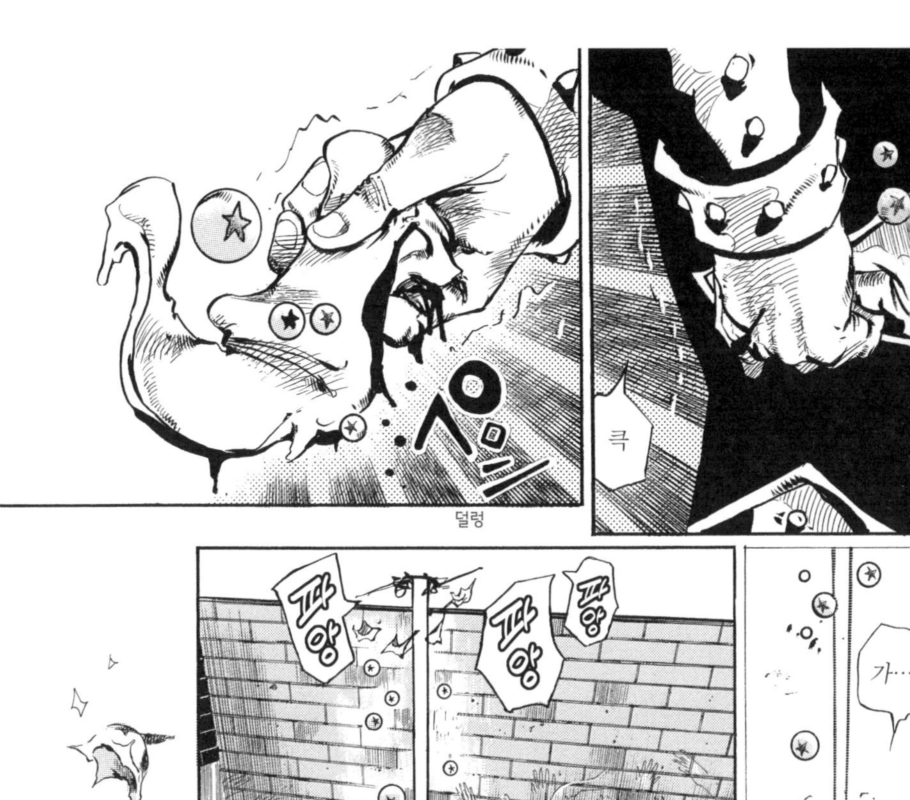
큭
덜렁

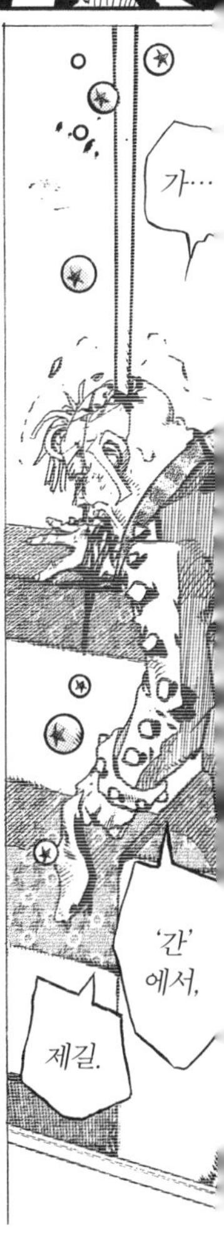
가…
'간' 에서,
제길.

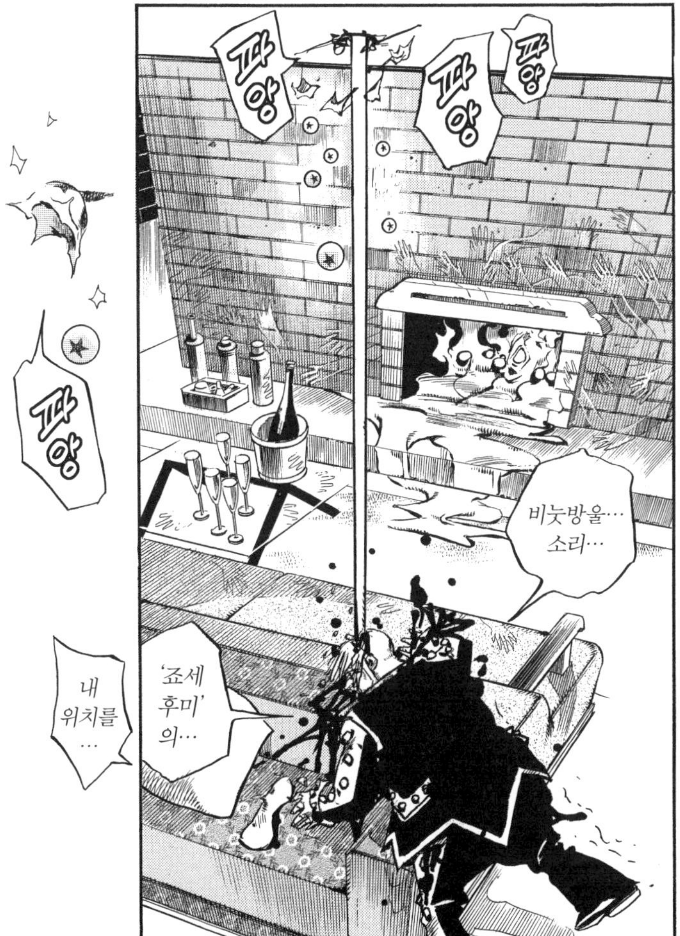
파앙
파앙
파앙
비눗방울… 소리…
'죠세후미'의…
내 위치를…
파앙

투콰악
우직 우직 우직 우직

도도 도도도도

방울방울

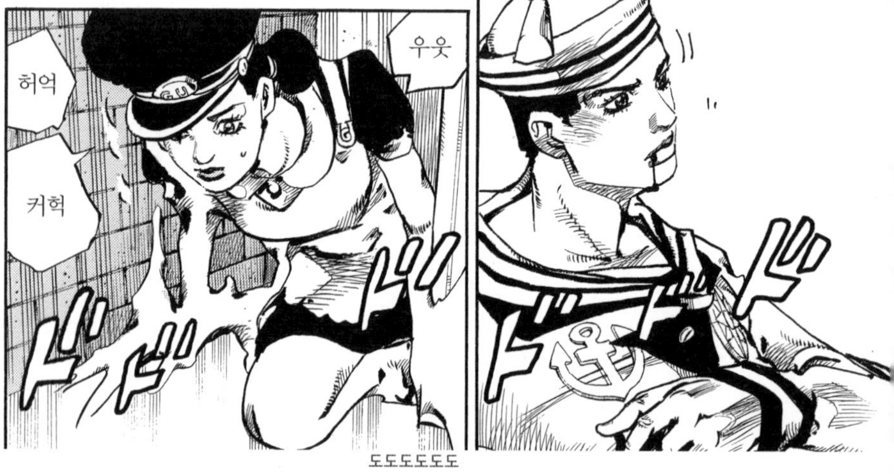

도도도도도도

허억 허억
허억-
허억- 허억- 허억-
쿨럭
쿨럭
데굴데굴 데굴
우아아!
오아
아아
아아!
사…
사라졌어…
도도도도도 도도도

도도도 도도도
…
달아
났다.
……
……
주르륵
크허억
우우웃
비틀비틀
큭
커허억
털썩

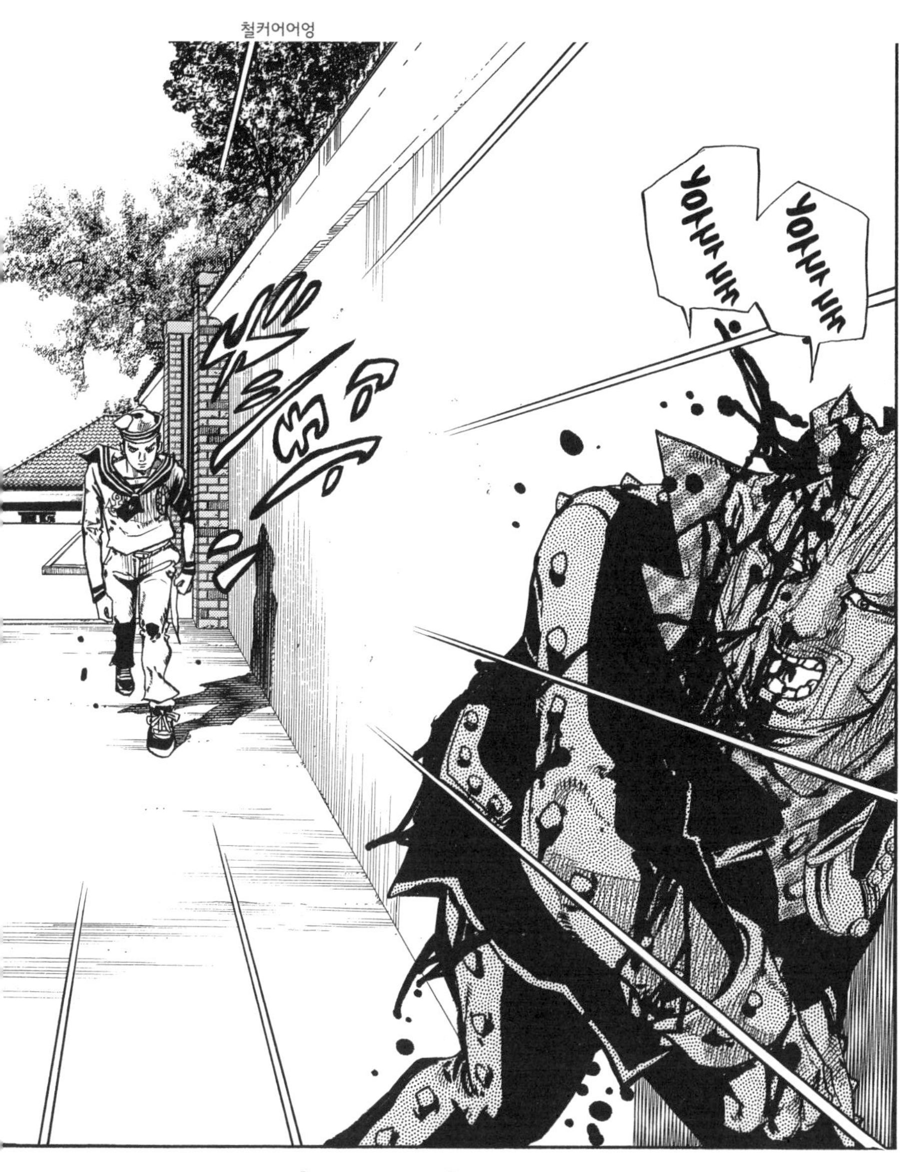
철커어어엉

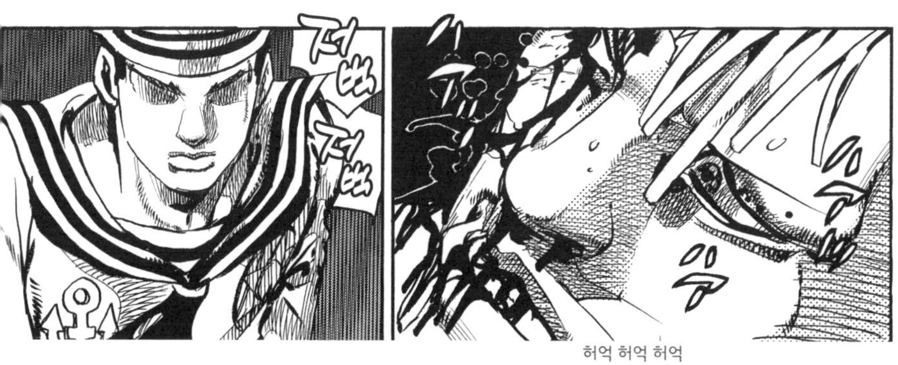
허억 허억 허억

잠깐만.
자…
잠깐!

넌 나와
둘이서 손을
잡는 게 맞아.
그렇지?
원산지에서
'로카카카'를 수입해
올 수 있는 건
나밖에…

너… 너,
'로카카카'가
더 필요하지?
네 어머니
'홀리'가 꽤
중병이라며.
뚜샤아아아

콰지익
후두둑후두둑
주르륵

후두둑후두둑
ボロ…
ボロ…
후두둑후두둑 덜컥 투둑
난 또…
피규어
였군…
ドドド
도도도도

도도 도도도도
나는…
내
'정체'는
…

도도 도도도
ドド
ド
ドド

“죠세후미” 와 “키라”.
나는 “쿠죠 죠세후미”.
KUJO
JOSEFU
JAPA
M
쿠죠 죠세후미
쿠죠 죠세후미
ドドドドドドド
도도 도도도도 도

도도도 도도도
ドドド
ドドド
우리 집에서 '죠스케'가…

도도도도
다모
타마키
를…
뚜버-억 뚜버-억 뚜버-억
뚜버-억
뚜버-억
뚜버-억

차렷!
녹색 빛에
왼쪽 손목을
갖다 대세요.

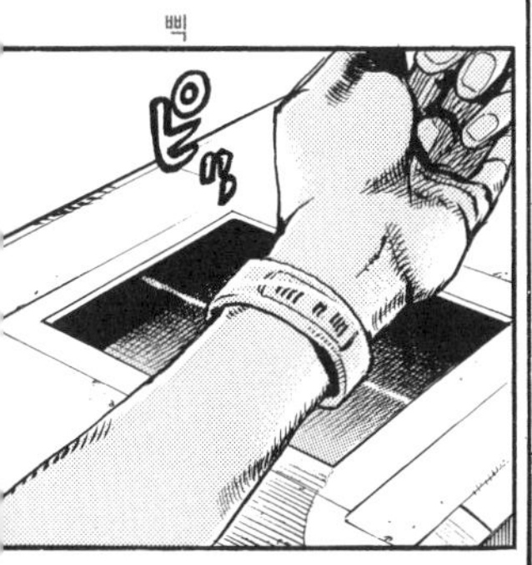
삑

이쪽으로
걸어
오세요.
이 사인은
귀하의 것이
틀림없지요?
28

부스럭부스럭

우선 소지금.
현금 1,628엔.
チャリ
チャリン
짤랑짤랑

지갑, 수량①.
선글라스, 수량①.
반지, 수량①.
재질 화이트 골드.
N to C
팔락 팔락팔락

비단 스카프.
수량 ①.
이건 교도소 내에서 허가된 소지품,
트럼프 카드.
수량 ①벌.

이쪽은 입소 시
입고 있었던
의복 및 신발.

마지막으로 복역중에 종사했던 재봉 및 세탁 노역에 대한
임금 지불에 관한 건.
기본 시급 8엔 2전. 내용에 따라 40엔 5전으로 계산. 주5일 근무.
도합 15년.
연말연시와 휴일을 제외한 총 근로일수 3662일.
따라서 합계 금액은 79만 992엔.
전 단위는 버렸습니다.

이쪽 테이블로 오세요.
왼손을 탁자 위에 올려 놓으시고.

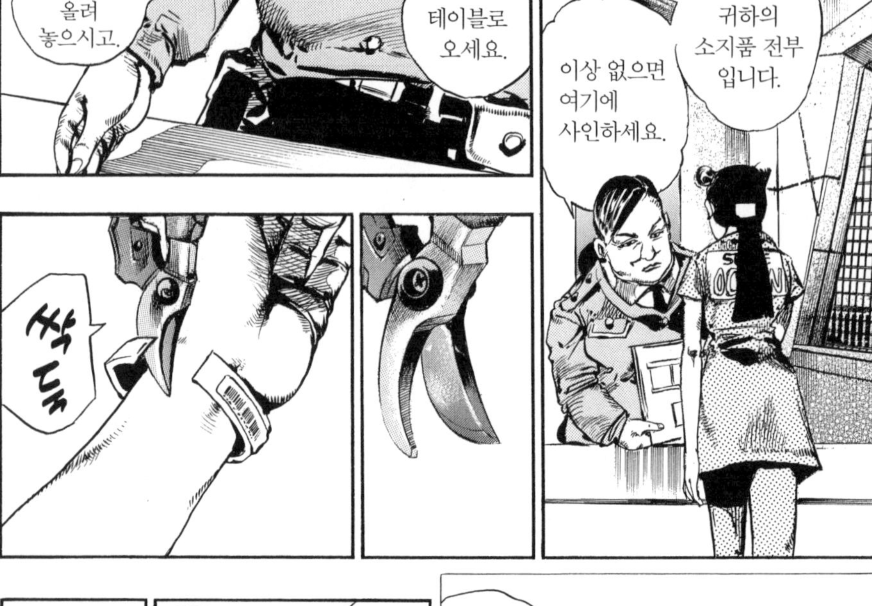
이것들이 귀하의 소지품 전부 입니다.
이상 없으면 여기에 사인하세요.
싹둑

오늘 부로 형기 종료 입니다.
수고 하셨습니다. 교도관 일동은 앞으로 귀하에게 행운이 따르기를 빕니다.
세간 에서는 귀하의 죄를
분명 아직 용서하지 않았을 겁니다.
하지만 저희는 개인적인 차원이긴 해도…
귀하를 대단히 좋아했 답니다.

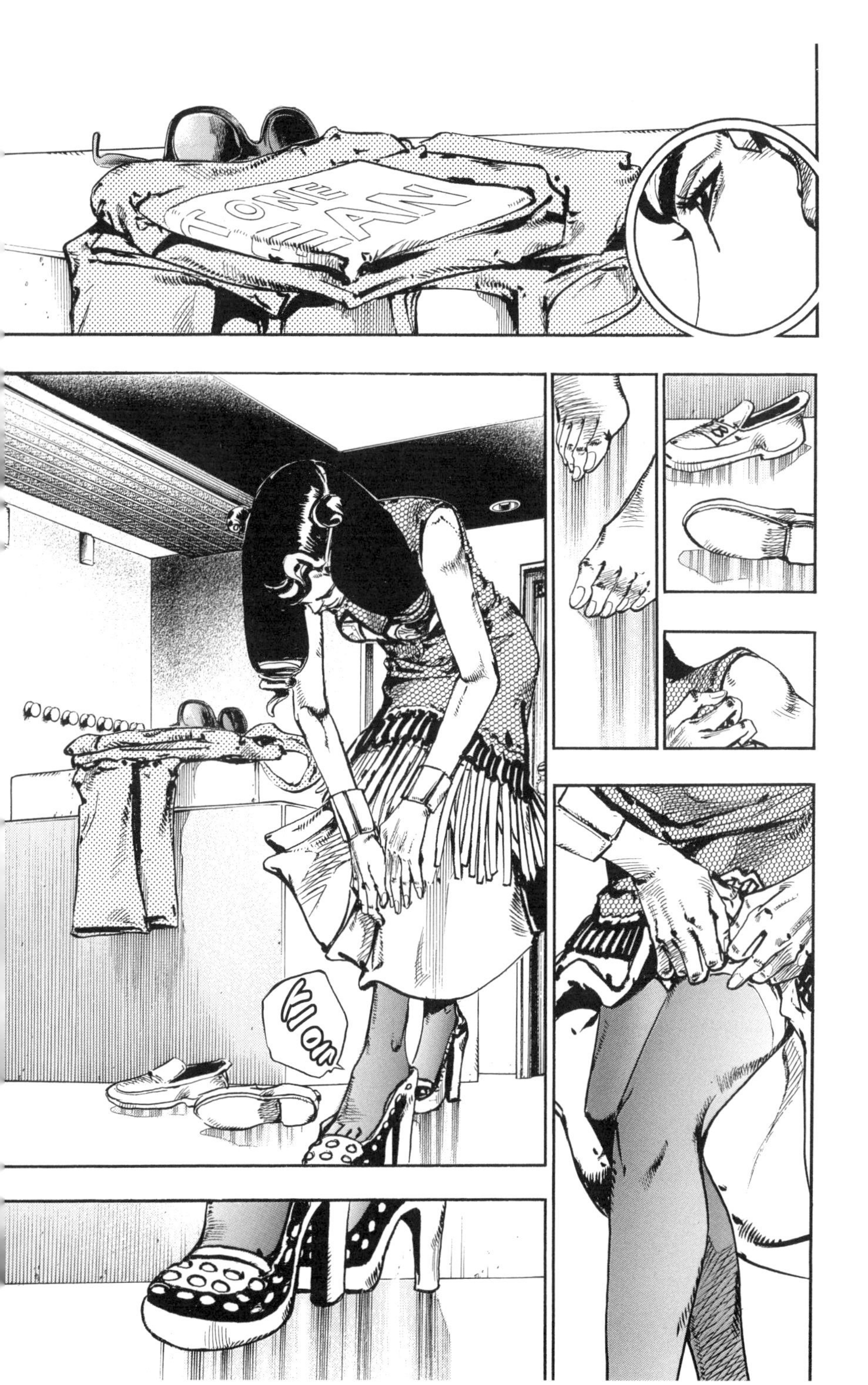

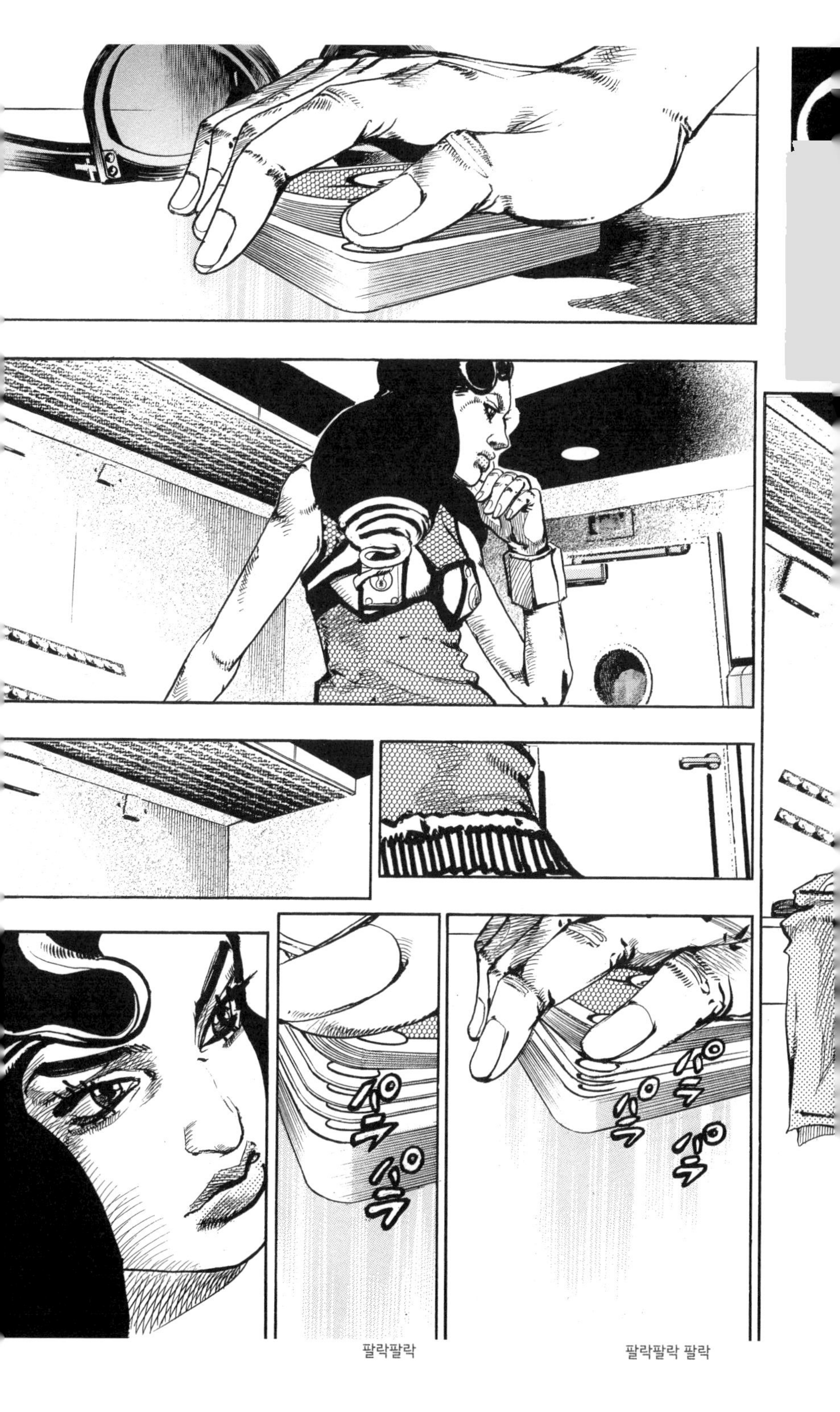

팔락팔락
팔락팔락 팔락

달칵
나야.
늘 고맙구나.

응?
여기까지 데리러 오게?
택시비라면 충분하고도 남을 만큼 있는데.

그래…?
기뻐라.
엄마도 어서 보고 싶구나. 네게 키스 해주고 싶어.
하지만 만기 출소 한다는 건 가족들에게 말하지 말렴.

안 돼! 말하면…
"노리스케" 그 인간을 깜짝 놀라게 해줄 거야…

후회는
없지만…
잃어버린
인생을
되찾을
거니까.
스윽!!

히가시카타 조빈
통화 종료

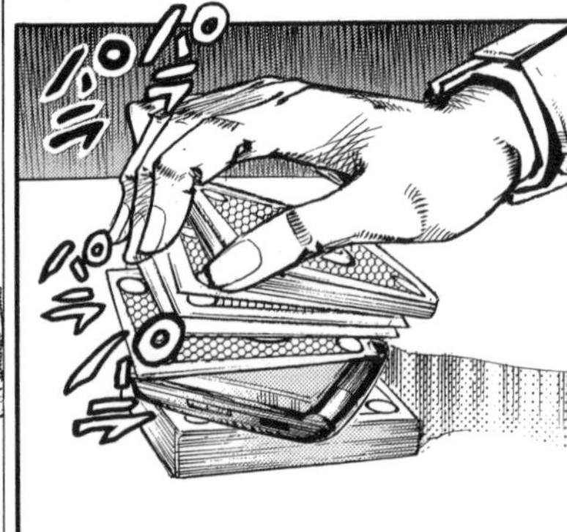
팔락팔락 팔락팔락

후와
히가시카타 카토(52세)

꾸욱

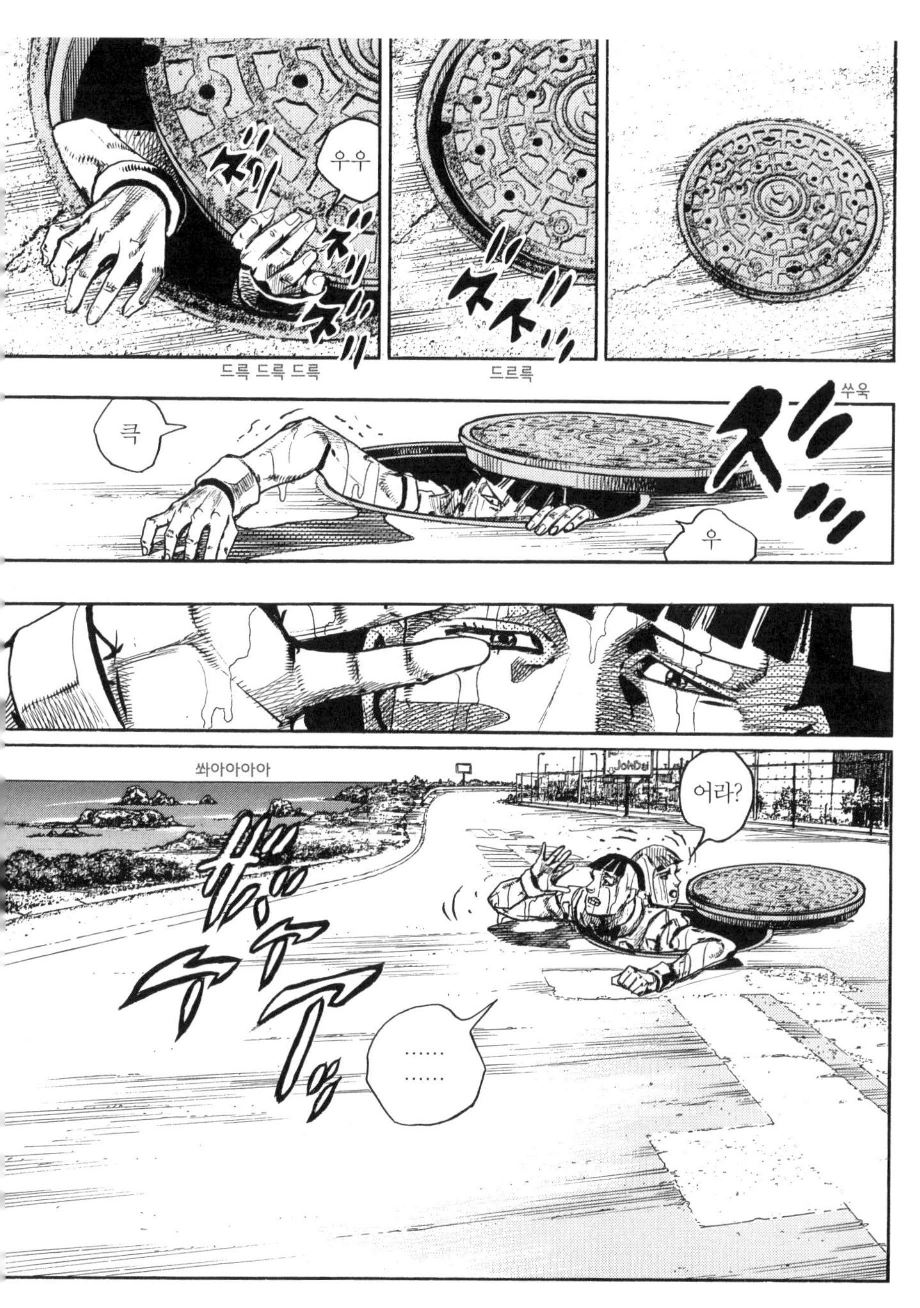
우우
드륵 드륵 드륵
드르륵
쑤욱
크
우
쏴아아아아
어라?
……
……
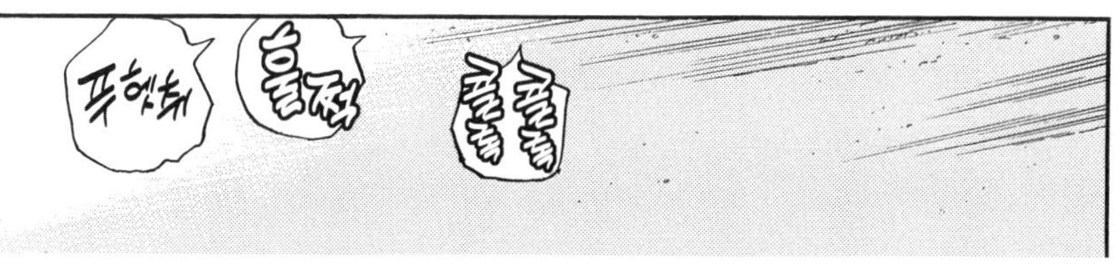
푸헷취
훌쩍
골골
골골

스탠드 명 ―

워킹 하트

양발의 '발뒤꿈치'가
경질화해 늘어난다.
신발을 신었으면
신발의 굽째 늘어난다.
얼마나 늘어나는가 하면
4m 정도다.

히가시카타 하토 (24세)

#056
밀라그로맨
①

기억은 전혀 없다.
그러나 내 정체는
내 이름은 '히가시카타 죠스케'.
쿠죠 죠세후미(19)라는, 가족도, 아무도 찾는 이가 없는 청년과…
키라 요시카게(29)가 등가교환된 결과물!
그는 '홀리'의 아들이다.

‘히가시카타 카토(52)가 히가시카타가에 귀가’

—하기 약 2주 전에 있었던 일.

죠슈… 그러니까 말이야…
그 아이돌의 냄새가 배어 있는 게 아니라
그 아가씨가 프로듀스한 ‘방향제’를 산다고… 한 거지?
응?!
정확히 말하자면 그렇지.
서랍 속이나 바지 옆에 놔두면 좋은 ‘향기’가 밴다니까.
¥2,500 (세금 포함)
아이돌 굿즈야.

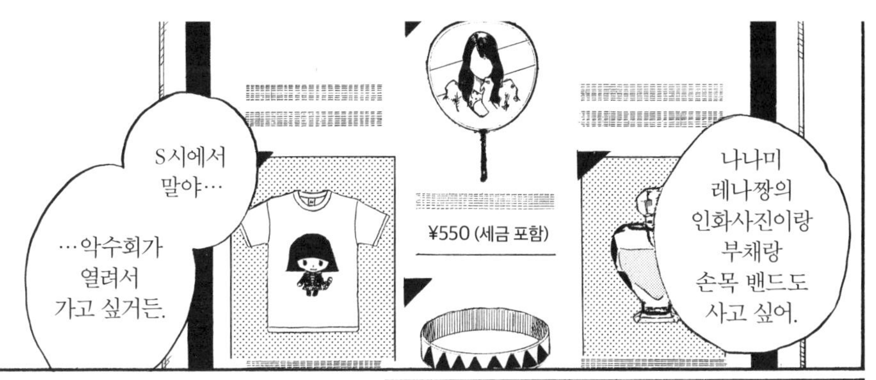

나나미 레나짱의 인화사진이랑 부채랑 손목 밴드도 사고 싶어.
¥550 (세금 포함)
S시에서 말야…
…악수회가 열려서 가고 싶거든.

넌 허구한 날 뭐 그렇게 갖고 싶은 것도 하고 싶은 것도 많니.

사회를 위해 자기가 뭘 할 수 있을지 생각은 좀 하고 있는 거냐?
벌써 대학교 2학년 이잖아?
죠빈 밑에서 알바라도 해보는 건 어떠냐? 그렇게 만만하진 않겠지만 말이야.

됐고, 아빠.
용돈 줄 거야아?
아니면 안 줄 거야?

……

와글와글 와글
예쁘더라 ~~~
진짜 좋다아~~~! 손가락도, 예쁜 것도 야스호짱 다음이긴 하지만 말야아.
손가락도 보들보들 했고.
와글와글
으음~
으으음~
어디 보자아, 어떤 걸로 할까아.
어디~
다음 손니이임 —
와글와글

①번이랑 ②번이랑 ③번이랑 ④번이랑 ⑤번이랑 ⑥번 주세요오~~
그리고 손목 밴드랑 티셔츠랑 CD랑 핸드폰 스트랩이랑 부채도요.
음!

야! 너, 뭐하는 거야?
아…
그래…?
내 차례라고.
몰랐네.

하지만… 이미 계산 다 했거든.
그러니까 괜찮지? 천천히 고르셔.

다음 손니임 ~~~
……

으음~
으으음~
못
정하겠네에.
①번이랑
④번이랑
…

홱
……

와글 와글와글 와글와글
58
58

손님, 이것만 계산해드리면 될까요?
네?!
뭘요?
휙

…… ……
와글와글

아아…
아니!… 관둘래요.
전부 취소. 또 올게요.

다음 손니임—
파앗

어랏!
방금 여기서 물건을 샀는데
없어.
지갑을 두고 간 것 같은데요.

1000
1000
ガチャン
달칵
부스럭부스럭
타아앙

CASH CARD
모리오 IC 현금 카드
333-4023402
모리오은행
흐음—
덜컹덜컹

이 자식, 찐팬이려나…
나나미 레나짱의 생일이 11월 23일이니까
1·1·2·3 이라든가…
키가 157cm니까… 음, 그건 자릿수가 안 맞나…
어쩌면 나나미 레나랑 발음이 같은 숫자로…
7 (나나)
3 (미)
소
확인
삐익
0 (레)
7 (나)
7
… 라든가.
짜아아-안

도도도도 도도도

도도도도 도도
2 인출
기 호
번 호
***
***
취급 번호
인출 금액
1184
¥500,000
잔액
대…
대—박!
야호!
…이 자식,
진짜 바보다!
난 아무
잘못 없어!
진짜로
열리다니!
삐-익 삐-익 삐-익
쌔애——앵

빠직 빠직

타앗

후두둑

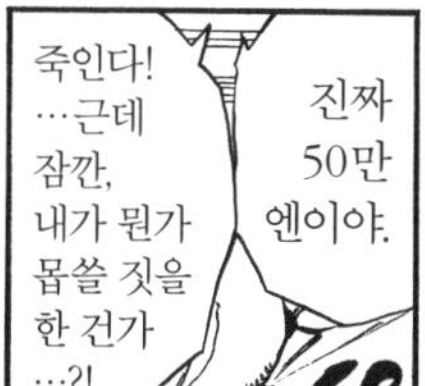
진짜 50만 엔이야.
죽인다! …근데 잠깐, 내가 뭔가 몹쓸 짓을 한 건가 …?!
팔락팔락

아냐… 이게 다 지갑을 계산대에 두고 간 그 자식 잘못이지.
주운 지갑을 돌려줄 의무가 나한테 있긴 해도 말이야.

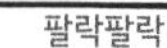
카드 비밀번호를 멍청하게 그 따위로 설정해둔 것도 그 자식이고!
갖고 가주세요~ 하는 거랑 뭐가 달라.

참으로 탁월하신 선택입니다.
고객님께 더없이 잘 어울리는군요.
반짝
반짝
그래?

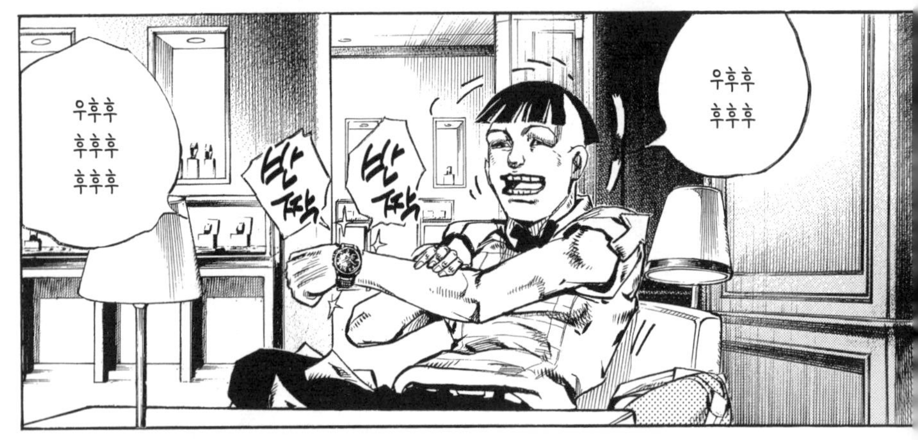
우후후 후후후
반짝
반짝
우후후 후후후 후후후

사야지이 ~~!
난 장차 취직하면 맨 처음 받은 보너스로
시계를 살 거거든. 아직 일은 안 하지만.
여기 이 부분은 티타늄 합금인가?

헉…

벌떡
쑹
지금… 다시 한번 물건을 확인해보니 유리 부품의 표면에 미세한 '흠'이 있군요.
고객님, 정말 죄송합니다!!
입고되는 대로 새 제품으로 교환해드리겠습니다.
뭔 소리셔?
엥! 그러니까 그게…
새 제품 준비에 열흘 정도 걸리는 관계로, 상품은 열흘 뒤에 마련됩니다.
방금 지불하신 대금은 환불해 드리겠습니다.

스윽!
정말 죄송합니다.
대금 50만 엔을 돌려드릴 테니 확인해보시기 바랍니다.
슈웅
그러니까
오늘은 원하는 시계를 살 수 없다는 소리셔?
그런 거야?
정말 죄송합니다.
하자 있는 상품을 판매할 수는 없으니
열흘 뒤에…
음
팔락팔락

헛…
……
……

……

오케이
…
그럼,
어디
보자,
난 이만…

팔락팔락
타앙!
10.
20.
30.
40.
50만.
여…
역시…
그 시계점…
1만 엔
더 줬어…

1만 엔
벌었다!
와하하
하하하
잘못
센 건가…?!
이런 일이
있을 수
있나?
50만 엔
냈는데
51만 엔이
되어 돌아
오다니.
그 점원이
…?
평소에
카드 거래만
하니까
현금에는
익숙하지
않았던 건가?
그
점원…!
'51만 엔'을
환불해줬어.

그 자식들
실수라곤 해도
이런 거금이
생기니까
살짝 죄책감이
드는걸.
하지만
기부
같은
거라도
해볼까.
아하하하하
끝내주는데,
오늘의 나!
어디 보자—
우선 아빠한테서
오늘 용돈 1만 엔을
받았지… 그리고 주운
지갑 안에 있던 현금이
2천 2백 40엔이고.
현금 카드로
50만 엔을 인출
했고 시계점에서
1만 엔을
받았어.
내
소지금은
합계 52만
2천 2백
40엔이야.

와하하하하
"조니 뎁의 3D 해적 영화"… 근처에 짜증나는 자식이 있으면 성가시니까
'아홉 자리'를 사서 한가운데에 혼자 앉아 봐야지이이—!!

영화 보신 분들을 대상으로
경품 추첨이 있습니다~
경품 추첨이 있습니다~
죄송한데요, 그 조니 뎁 피규어…
우와아… 당첨되셨나 봅니다?
괜찮다면 저한테 파실래요?
2…
아니 3만 엔 드리죠!
제발요!

제발요!
제발요!

이런 불미스러운 일이 생겨 정말 죄송합니다.
게다가
이로 인해 고객님의 귀중한 시간을 헛되이 하기까지 했으니…
너무나 당연하지만 음식 값은 내실 필요 없습니다. 또한 조금이라도 고객님께서 기분을 푸셨으면 하는 차원에서
약소 합니다만
위자료를 받아주신다면 저희로선 더할 나위 없이 기쁘겠습니다.
스윽

뭔가…
이상해…
뭐랄까… 돈이 불어나고 있어.
쓰려고 하는데도…

아니 뭐— 그렇지도 않은가?
와하하하—! 이런~걸~! '금전운'이라고 하는 거겠지— 이것도 다 내 실력이라구!
오늘의 난 운이 좋아——!

저기요 ~
여기 빵이 참 맛있네~
더 주실래요?

후두둑후두둑
덥석
퐁퐁

스윽~

스윽~

휙

뽀요옹 툭 데굴
아—!
젠자앙—!
데굴 데굴데굴
오오옷
—!!
오케에에
—이!
들어갔다
!!
너랑 너,
이리 와도
돼—!
넌
NG!!
저리
가!
바이
바이!

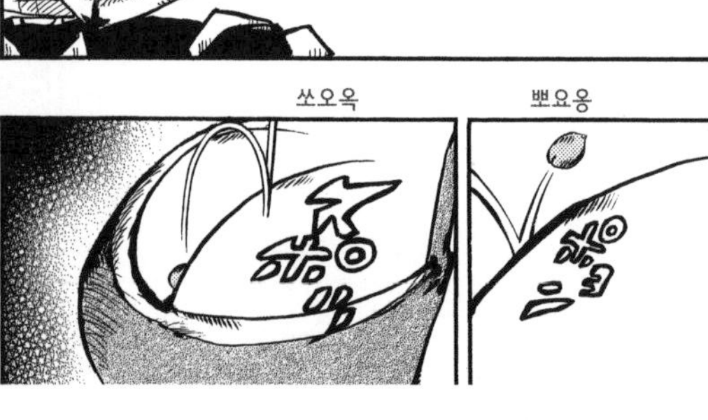
뽀요옹
쏘오옥

자! 자!
여기 앉아!
여기!
골드
샴페이이이인—!
갖고 와아아아
——!
넌
저리 가!!
퐁
퐁…
파앙 파앙

내 철학은
말이야…
응?
듣고
있어?
듣고
있냐고.
저축 따위
하지 않는
거야아
——!
너희들,
골드 샴페인
더 갖고 와!
지금부터 한 곡
뽑는다아—!

출입
금지
손님…
54만…
이 돈은
어디서
나신 겁니까?

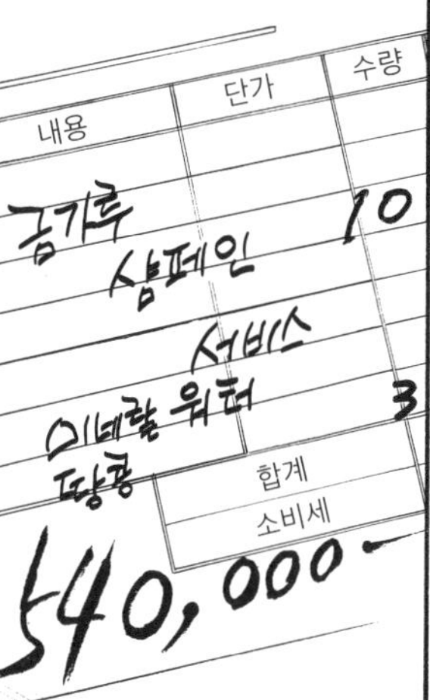
청구서
내용
단가
수량
금가루 샴페인 10
서비스
미네랄 워터 3
땅콩
합계
소비세
540,000-

'골드 샴페인' 이란 게 …
금가루 들어간 샴페인 이었냐아 ~~~

그러고 보니 거품 속에 금가루가 들어간 게 보였던 것 같기도오~~ '10'병!
방금 낸 그 54만 엔 으로 모자라다 는 거야?
하지만… 이 금액이 맞을 텐데—!

그런 얘기가 아냐.
여기는 바가지 씌우는 곳도 아니고…
제대로 장사하는 가게야.

난 댁에게 '이 현금을 어디서 손에 넣었는지?'
…질문하고 있는 것 뿐이야.
……
……

'어디서 났는지?' 왜 말해야 하는데?
현금은 현금이잖아…
얼마 모자란데? 얘기해봐.
그런 거면 집에 가서 갖고 올 수 있으니까.
내가 이 '현금'을 실수로 받기라도 할 줄 안 거냐?
이 쓰레기 자식!
밀라그로맨에 관한 건 다 알고 있다고!

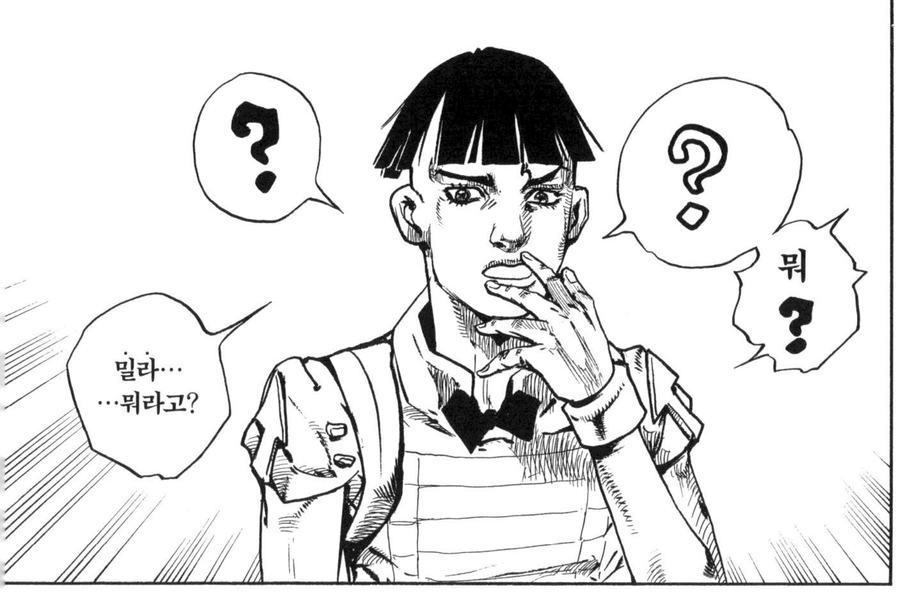
?
?
뭐?
밀라… …뭐라고?

출입 금지
관계자 이외 출입을 금합
내가 알고 싶은 건…
네가 '밀라그로맨'을 만났는지?… 아닌지야.
이 현금의 출처는 놈인가?
미,
밀라… 그로
…맨?

난데없이 무슨 얘기 하는 거야?
당신이 뭔데?
이 가게 오너다…
네 눈엔 얼간이로 보였던 것 같지만 말야.

이 54만 엔은 그대로 돌려주마.
날 만만히 봤겠다!
쑤우욱

쑤우욱
덤으로 이자도 붙여주지!

?
?

잠깐, 이게 뭐야?!
돈이 모자라면 그렇다고 똑바로 말해! 즐긴 만큼 돈은 제대로 낸대도!
이 자식이 아직도 헛소리를 해!
검은 가방도 이리 갖고 와!

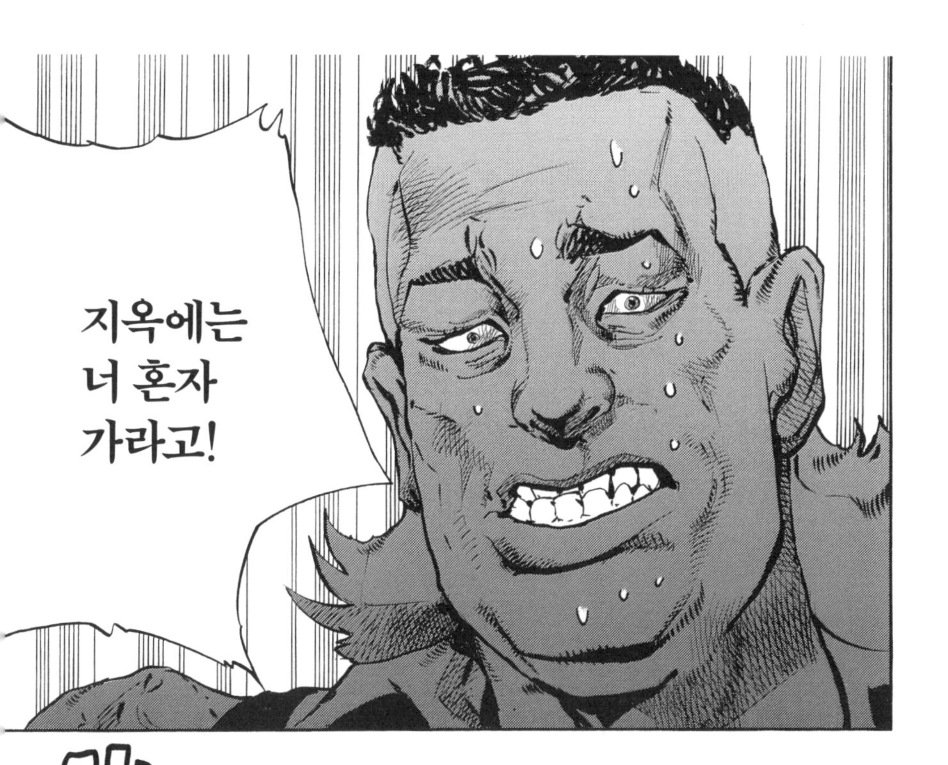
지옥에는
너 혼자
가라고!

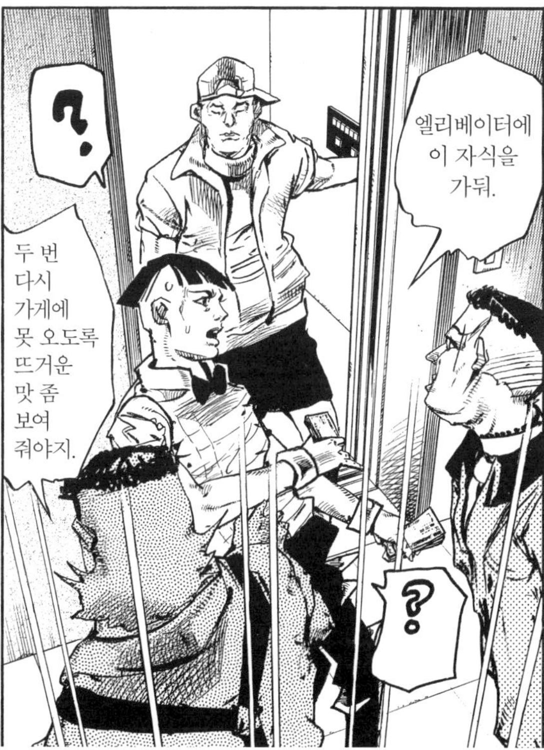
엘리베이터에
이 자식을
가둬.
?
두 번
다시
가게에
못 오도록
뜨거운
맛 좀
보여
줘야지.
?

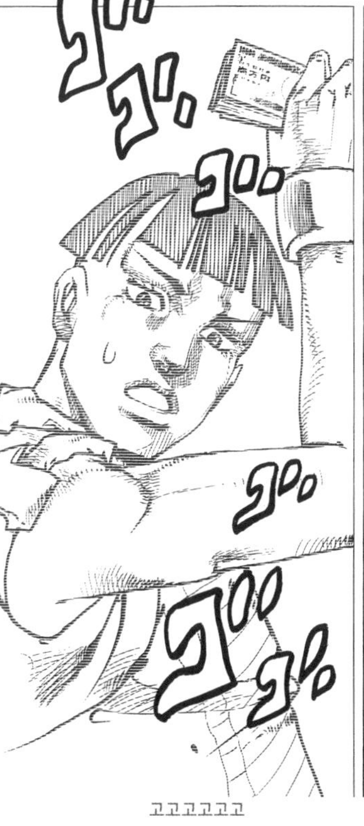

고고고고고고

꽈아아아악
꽉 붙들어!!

도도도도

뚜샤아아앗

자…
잠깐…
아앗?!
내…내 손?!
123456
쾨아아아아

우오오 아아아 아아아 아앗!
우아!
우아앗!
이… 이 자식들 …?!
이 가게…
질질 질질 질질 질질 질질 질질

파앗
덜컹덜컹
덜컹덜컹 덜컹
영문을 알 수가 있어야지…
허억 허억 허억

그 가게…
…돈을 안 받고 돌려줬어…
?
게다가 얼렁뚱땅 이자니 뭐니 했지?

팔락팔락 팔락

뭐야? 54만보다 많아.
어…
얼마지?
트… 틀림없이 늘어났어.
어랏
무겁다 싶더라니 내 배낭에 그 자식들의 '가방'이 들었네.
그런 줄도 모르고 메고 와버렸어.

지익
지익

화들짝

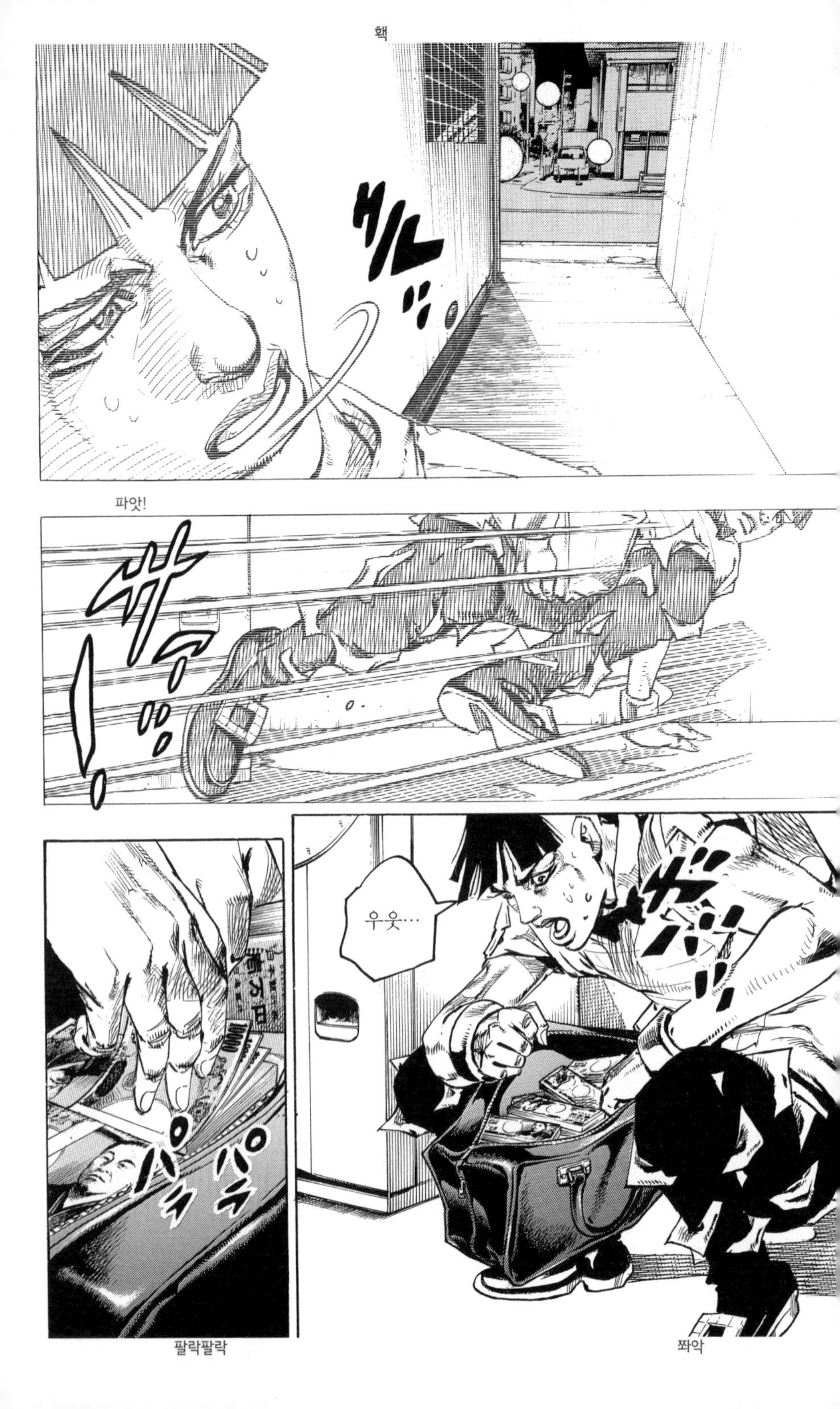
확
파앗!
우웃…
팔락팔락
짜악

뭐야?
이거?
우우
~~~
웃!
?

어…
어떻게
된 거야?
이…이거
무슨 돈이지?
…위…
위험한
돈인가?
왜… 손님인
나한테 돈을
쥐여주는
거야?
바…방금
그 가게 인간이
내…내 배낭에
일부러
넣은 건가?

오늘은
어째선지
뭔가 묘해.
…뭐가 이상하지?
오늘 뭘 했지?
팝콘 먹고 조니 뎁
영화를 봤지이.
아냐…
오늘은 이 가방
안의 현금뿐만
아니라…
'뭔가' 이상해.
~~~

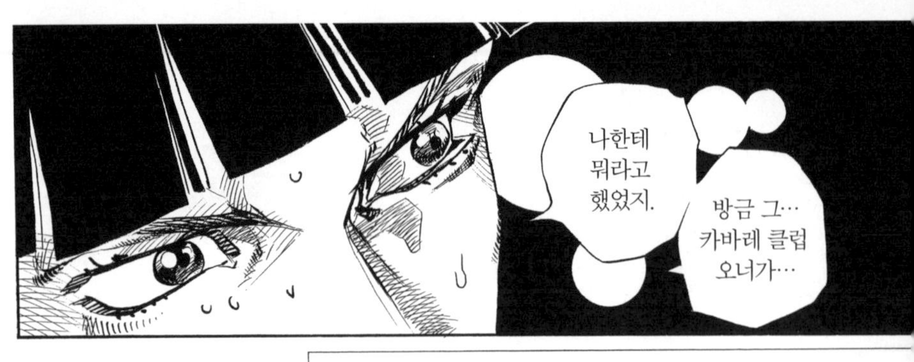

방금 그…
카바레 클럽
오너가…
나한테
뭐라고
했었지.

"내가 이 '현금'을
실수로 받기라도
할 줄 안 거냐?"
"지옥에는
너 혼자
가라고!"
"손님…
이 돈은
어디서 나신
겁니까?"
"이 쓰레기 자식!
'밀라그로맨'에
관한 건
다 알고 있다고!"
"이 현금의
출처는 놈인가?"

밀라그로맨
이라는 게
뭐야?
놈이 '출처'
냐니… 사람
이름인가?
그 오너의
뜬금없는
헛소리에
불과한
거겠지만
말이야.
고고고고

꿀꺽
고고고고

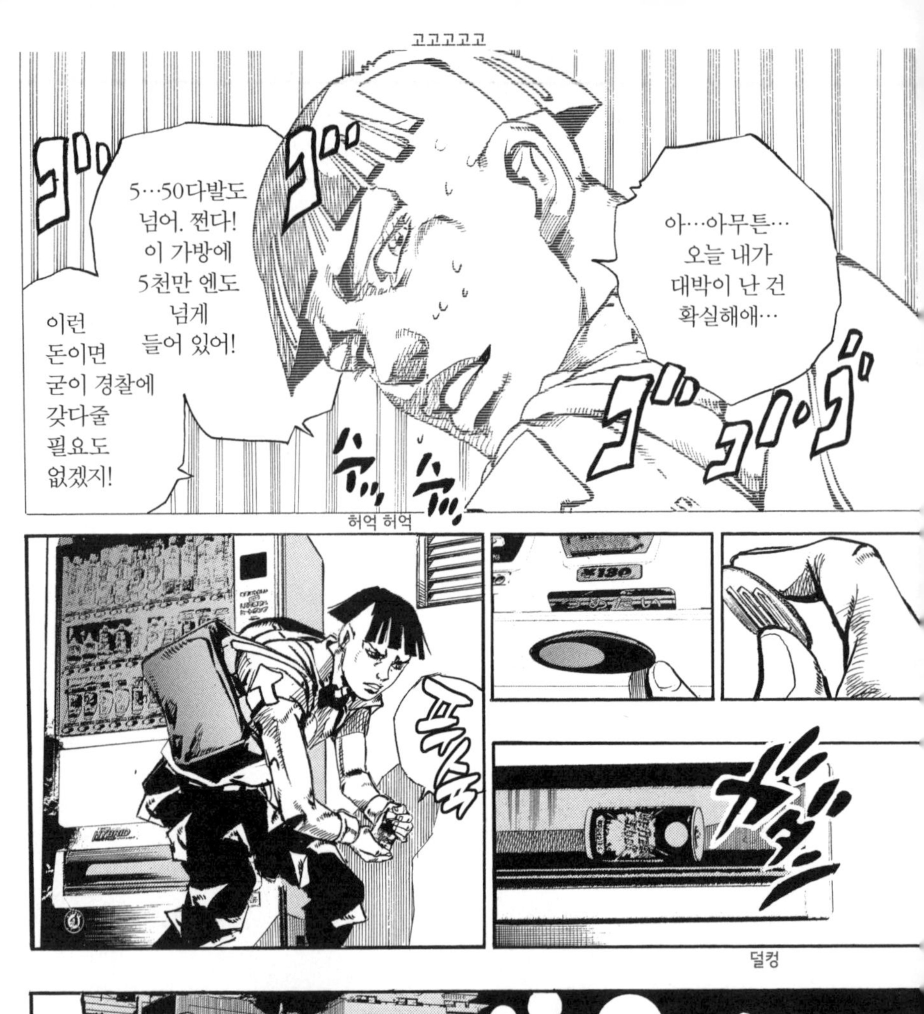
고고고고고
아…아무튼…
오늘 내가
대박이 난 건
확실해애…
5…50다발도
넘어. 쩐다!
이 가방에
5천만 엔도
넘게
들어 있어!
이런
돈이면
굳이 경찰에
갖다줄
필요도
없겠지!
허억 허억
덜컹

저런 걸로
허접한 녀석들이
성공한 건
단순히 운이
좋았던 것에
불과해.
나랑
나이도 비슷해.
나라고 못 할 게
뭐가 있어.
오늘의 난
운이 좋아…
이건
아무도
찾지 않는
돈이야,
크흐흐흐.

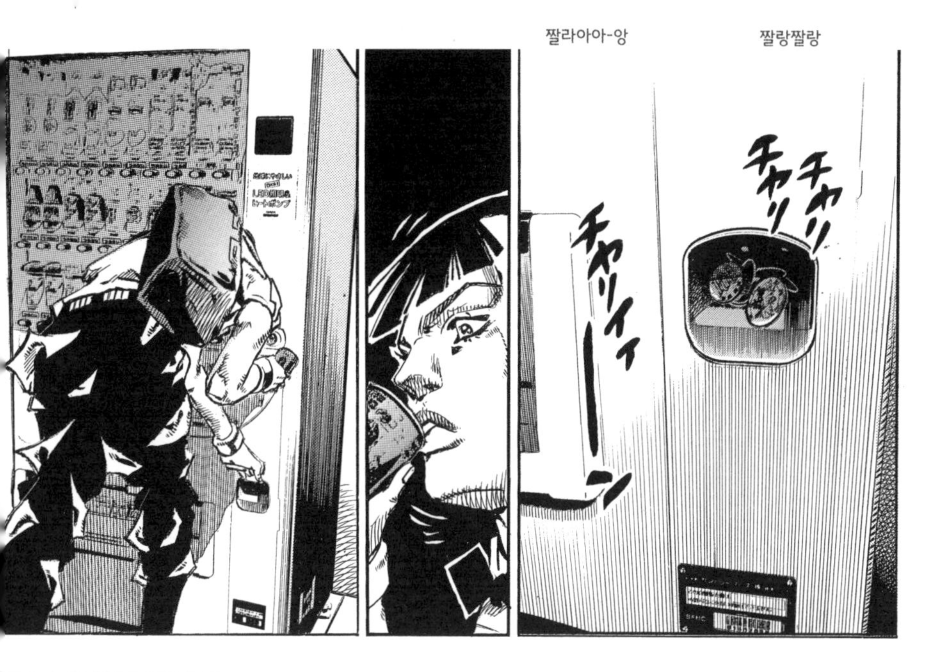
짤랑짤랑
チャリ チャリ
짤라아아-앙
チャリィィーーン

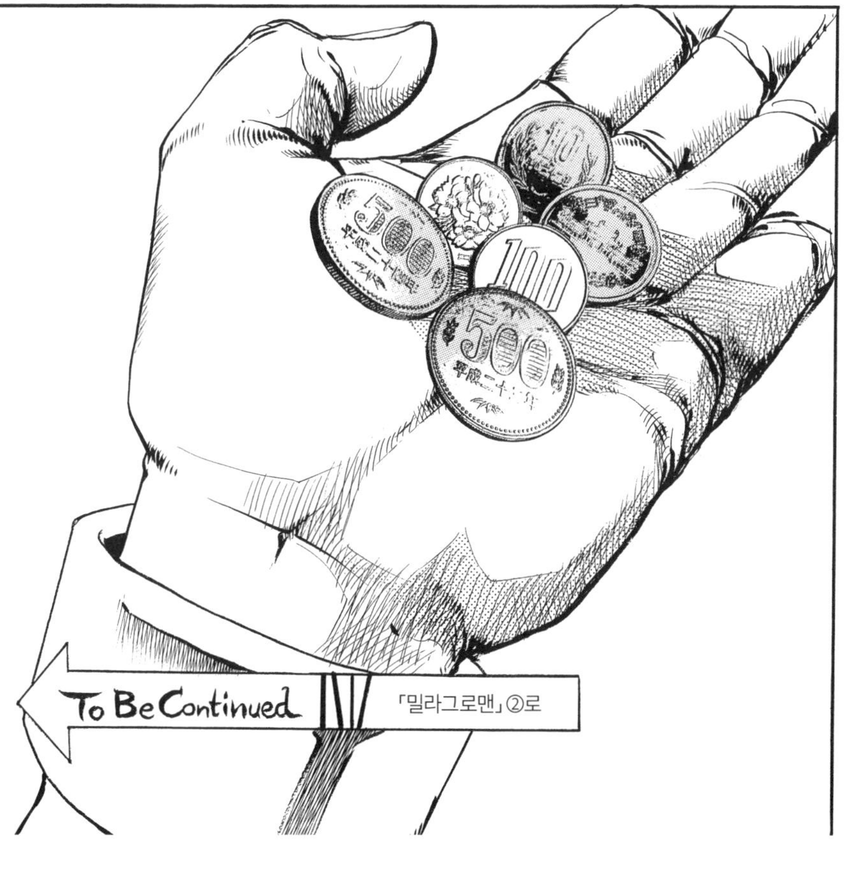
To Be Continued
「밀라그로맨」②로

#057 밀라그로맨 ②

우~~웃…

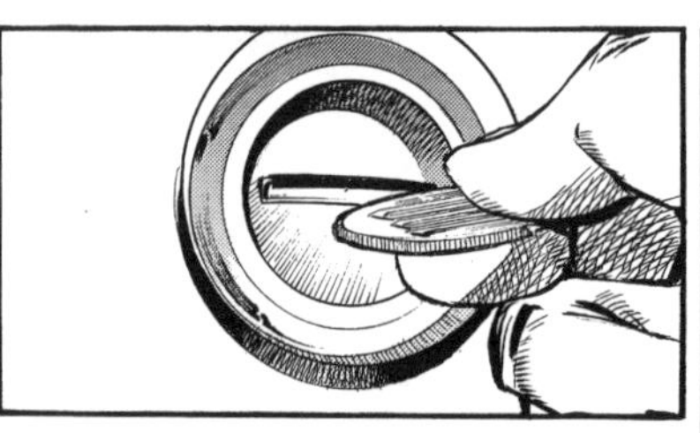

덜컹

짤랑 짤랑짤랑

짤라-앙
チャリーン

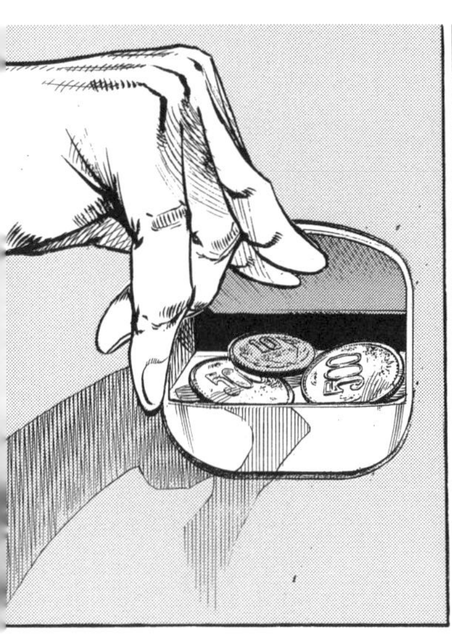

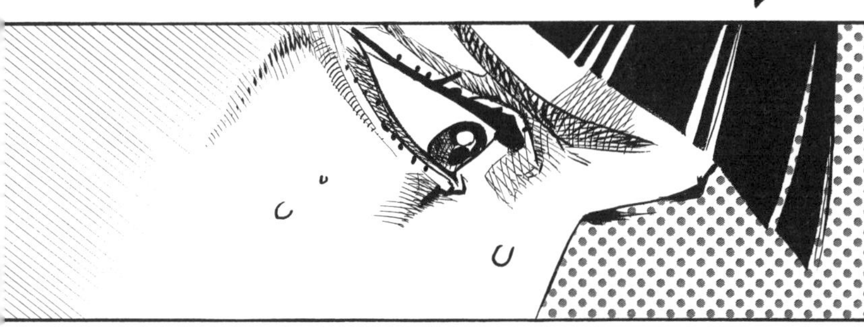

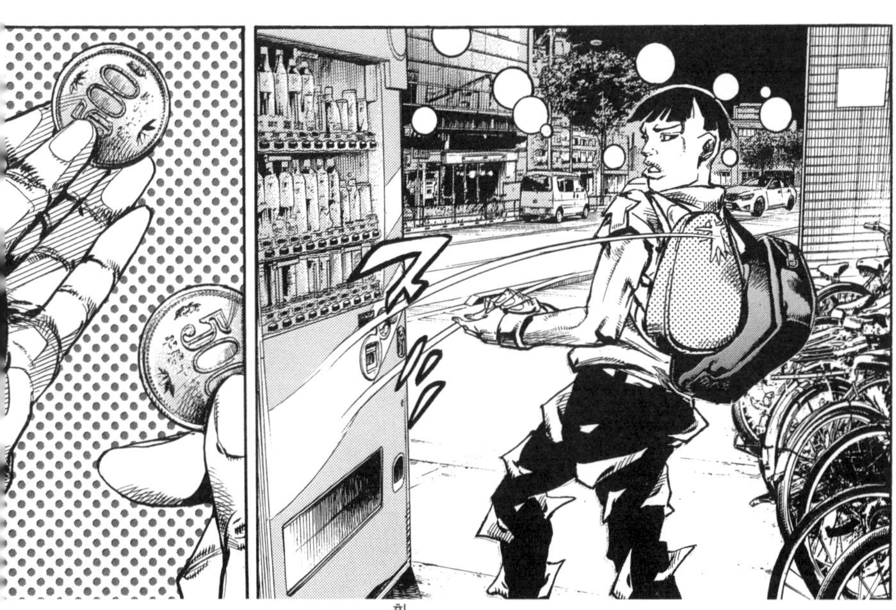
휙

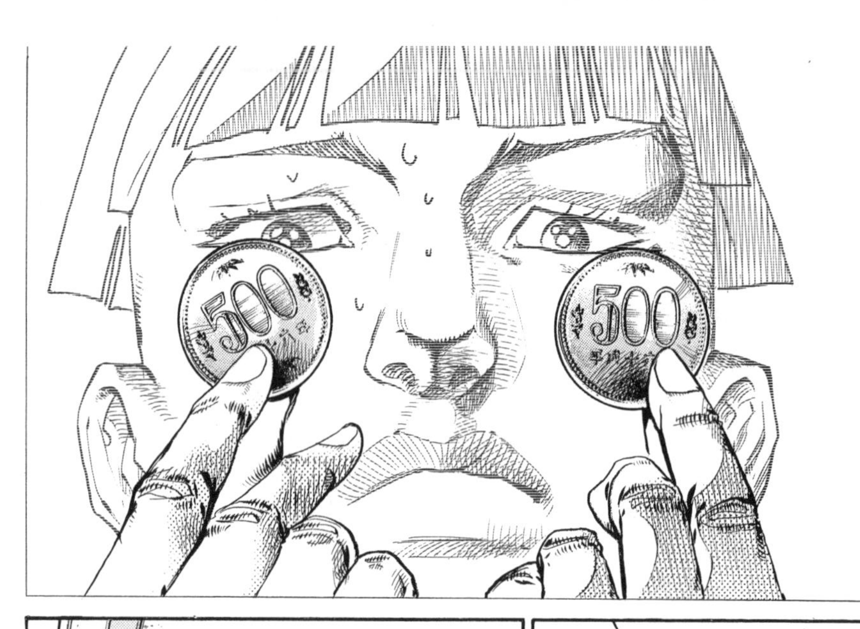

뭐, 곤란한 일은 아니지만서도…
있으면 있는 대로 좋지만 말이야.

잘그락잘그락

자판기에서 뭘 살 때마다 거스름돈이 넣은 돈보다도 많이 나오다니…
주머니 찢어지겠네.
역시 이상하지…
이 이상 자판기를 도는 건 관두자.
잔돈이 제법 많아졌어.

잘그락잘그락

털써어어억
다시 한번
확인해
볼까…
질질질
문질문질
문질
촉감은
똑같아.
이 지폐…
평범한 1만 엔
지폐랑
어디가 어떻게
다른 거지?
겉보기에도
완전히
똑같아
보이고…
냄새도
똑같아.
쿵쿵
문질

고고고고고

그래… 애당초 맨 처음에 손에 넣은 건 현금 카드로 뽑은 50만 엔이었어…
CASH CARD
그리고 그 카바레 클럽의 오너… "어디서 돈을 손에 넣었는지" 물어보면서 나한테 5천만 엔을 넘겼어.
만약 위조 지폐거나 위험한 '표시'가 되어 있는 거였으면 ATM을 통과해서 나왔을 리가 없지.
ATM
하지만 위조 지폐는 아냐… 이건
"진짜" 현금이야… 아무리 봐도 틀림없어…

팔락팔락 팔락

어딜 봐도 위험한 돈으론 보이지 않는데…? 이 '중량'… 어떻게 하지…?
하지만 갑자기 5천만 엔이나 내 계좌에 입금하면 너무 눈에 띄려나…
잘그락잘그락 잘그락

이노시시지마 경정장 나이트 레이스 최종 제12R, 지금 시작합니다.
온라인 보트 레이스
접수 번호 0056
12R
3연 단승
1-5-2
구입 금액 ¥50,000
오즈
스타트 라인은 모든 보트가 우열 없이 비슷합니다.
하양은 1호 ─우시고메. 검정 2호 ─우마가미. 빨강 3호 ─토가와.
파랑 4호 ─카메야마. 노랑 5호 ─토라메. 초록은 6호 ─사루에다.

제1턴 마크!
6호 보트,
바깥쪽에서
따라붙었습니다!
아아—앗,
3호 보트와 접촉!
전복!
전복됐습니다——

두두웅!!
접수
12R
3연 단승
1-5-2
구입 금액
50,000¥
배당금
3,100,000
확정!
"1-5-2"!!
배당금은
6,200엔
입니다!
도착 순서는
"1-5-2"!!

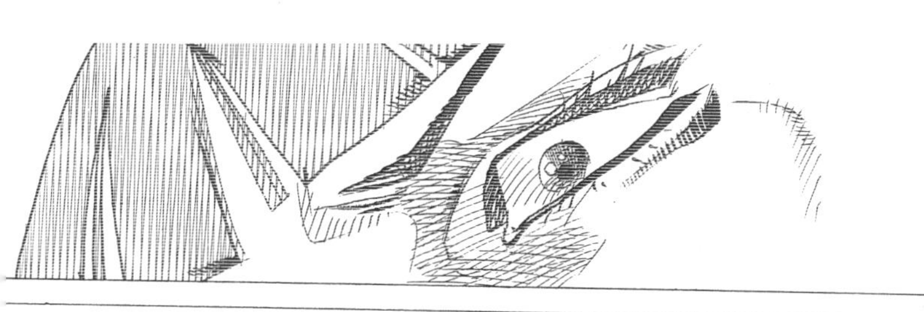

배당금
3,100,000—

오늘은 진짜 운이 좋아…
온라인 경정으로 310만 엔을 땄잖아.
도박으로 딴 거라면서 입금하면 아무도 수상하게 여기지 않겠지이.

불쑥 불쑥

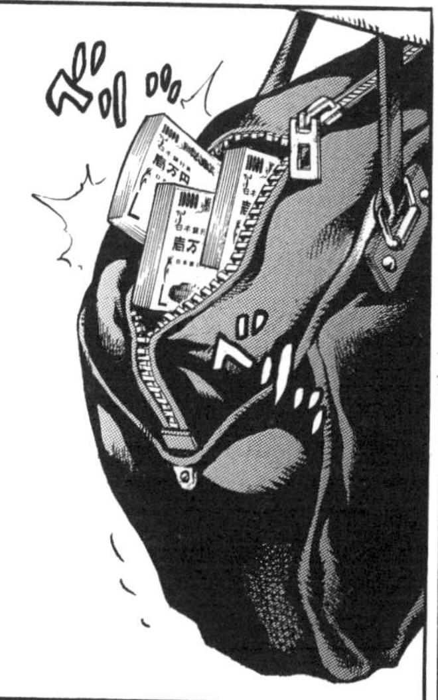

어랏

꾸욱

꾸욱 꾸욱

꾸욱 꾸욱
어라?

찌이익

꽈악 꽈악

어랏…
이상하다… 지퍼가 안 잠겨…
좀전까지 가방에 딱 맞게 들어갔는데…
지폐 다발끼리 어긋났나…
꾸우우욱

찌익

오…
우오옷!!
허겁지겁

파앗

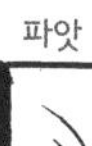

야단났네. 가방에 구멍이 났어…
사사어묵
코인 로커에 이…일단 보관해두자.

사사어묵
두리번두리번

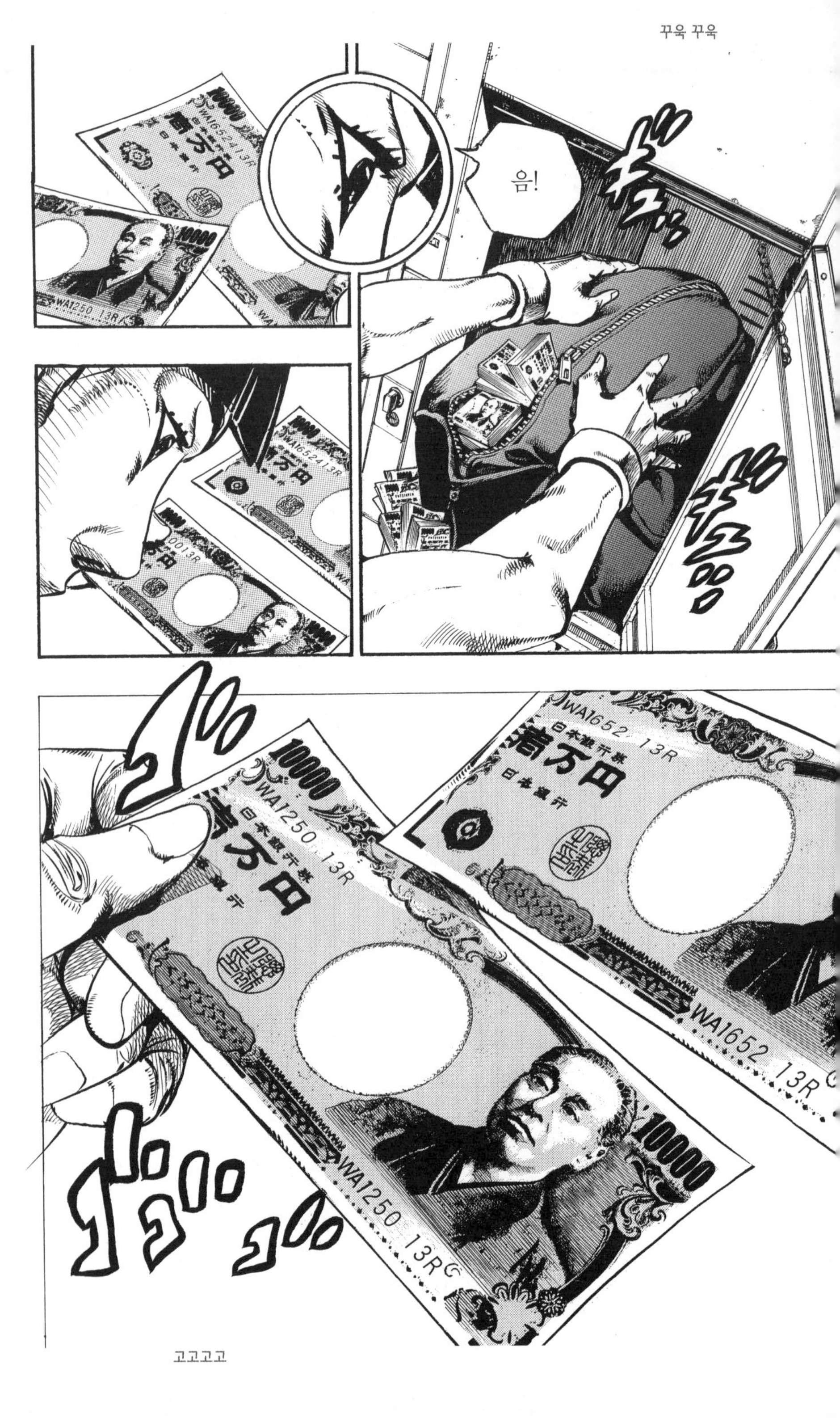
꾸욱 꾸욱
음!
고고고고

250013R
으~~~
~~~음!!
"번호"가…
고고고고고
숫자가
'13'으로
끝나.
전부 다…
'13R'로
끝나…
팔락팔락
좀전까진
눈치 못 챘는데
돈의 번호가…
모든 지폐의
일련번호가…
똑같은 건
아니지만…
~~~

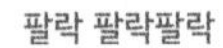
팔락 팔락팔락

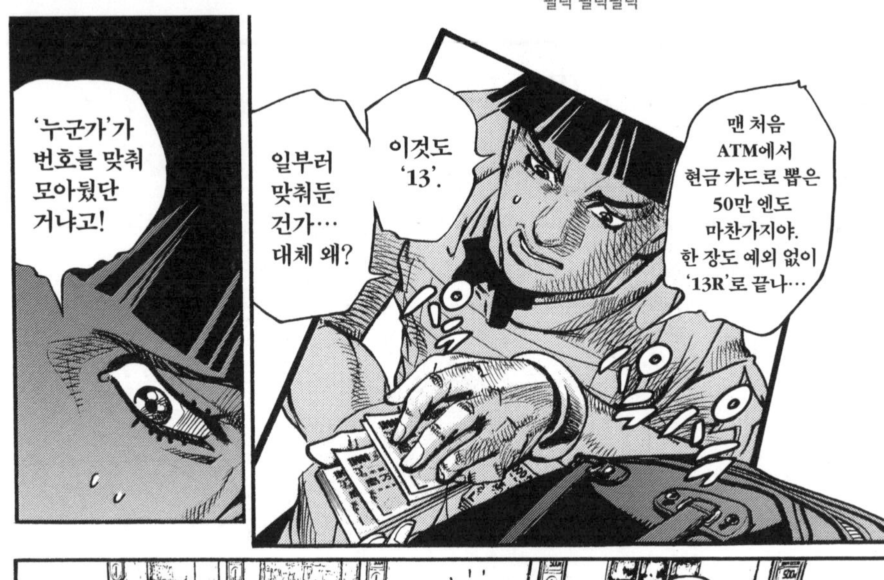
맨 처음 ATM에서 현금 카드로 뽑은 50만 엔도 마찬가지야. 한 장도 예외 없이 '13R'로 끝나…
이것도 '13'.
일부러 맞춰둔 건가… 대체 왜?
'누군가'가 번호를 맞춰 모아뒀단 거냐고!

어랏!

꾸우욱 꾸우욱
철컥
끄으응

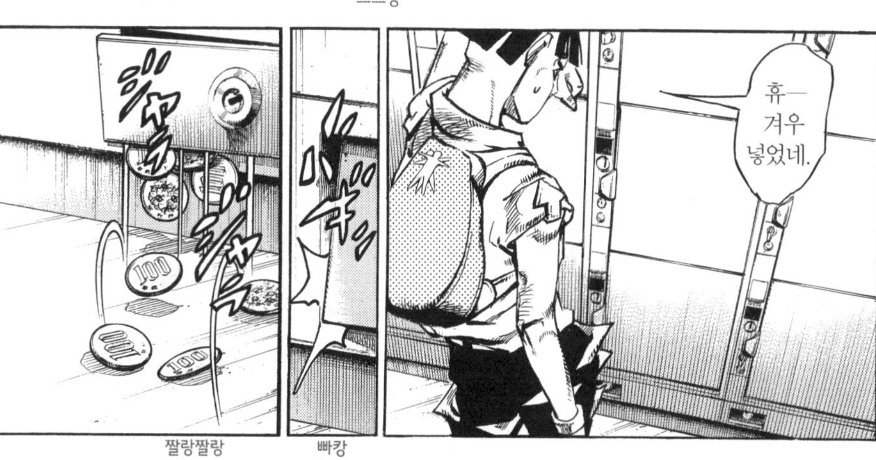
휴— 겨우 넣었네.
빠캉
짤랑짤랑

아앗!!
우수수수수

아아앗!
우웃
우아아
아…
아차.

휘오오오오오

아… 코인 로커도 자판기의 일종이었어…!! 하지만 당황할 거 없어.
겨우 열 장 날아간 것 가지곤…
화들짝
이거 당신 돈 맞나?

우…
허억 허억 허억 허억 허억

대답을 해야지.
당신이 갖고 있던 돈 맞나…?

어…
그… 그건.

이봐요—
이게 바람에 날아 왔어요.
돈 떨어뜨리셨어요.
여기요.
여기요.

여기요.
여기요.
여기요.
여기요.
여기요.
돈은 조심해서 갖고 다니라고.
역 근처는 특히 바람이 세게 불거든…
아
예… 예엡.
감사합니다. 역시 일본인은 친절하다니까 ~~~
사사어묵
파앗
바스락
방금… 바람에 날아간 현금…
열 장 정도 아니었던가… 아무리 봐도 늘어나 돌아온 듯한 느낌이 들어.
역시 너무 이상한걸.
이상하잖아! 줄어들지가 않아!

무…
무거워!
돈의 양이…
좀전까진
분명 가방
하나에 다 들어갈
정도였는데…?
여기선 안 되겠어…
어디 가서 제대로
다시 세야겠어.

여기,
택시—!
택시—!

끄응 끄응

후-우

오늘은
운행
끝났어!
미안
하지만…
다른
차로
알아
보쇼.

모리
오초
235
번지.
짐이 많아서
바로 집에
가고 싶은 것
뿐이에요.
나랑
반대 방향
인데…
타이하쿠산
쪽에 살거든.
집에서
마누라가
기다리고
있어서.
제발요.
사사어묵

구깃
요금은 선불로 낼 테니까, 팁도…
현금으로 5만 엔.
괜찮죠? 갑시다 좀!

5만 엔…
휘익

공사
공사
TAXI
아~~ 앗~~
빵빠-앙 빠-앙

손님, 역시 안 되겠는 뎁쇼~
내려서 다른 차를 알아보십쇼.
하기노다리가 공사로 야간 통행이 금지돼서… 여기까지 입니다요.
엥—? 다른 다리로 가지 않고!
사

달칵
다른 다리로 가려면 꽤 멀리 돌아가야 해서~~…
말했잖습니까! 오늘밤은 마누라 생일이라서요.
얼른 집에 가고 싶거든요.
이 요금은 돌려 드리죠.
여기, 좀전의 5만 엔.
받아요.

음!
받아요.
아니… 그 돈은 돌려줄 필요 없는데.
왜?
왜라니…
그게…
아니 그러니까, 여기까지 태워줬잖아요?
받아요… 난 내려서 다른 택시를 알아볼 테니.
사사어묵

아니래
도요.
그럼 쓰나!
돌려드리죠!

꾸욱

됐다니까!
받아도
돼요.
아니
아니
아니.
돌려
드리죠.
받으면 안 되죠…
목적지
까지
못 갔는데
요금을
어떻게
받습니까.
팁이라
생각
하고.

꼬옥

엇
돌려
드리죠.
그럴 수는
없다니까요!

쑤우욱

내가
주고
싶다
니까.
제발 좀!
받아요.

꾸욱

받아,
좀!!

쑤우욱

평소엔
모두
돈에
환장하는
주제에!!
내가
준다잖아!
뭐냐고!
오늘따라 왜
이렇게 모두
바른 생활
인간이냐
말이야야
——!

철컹
이글 이글이글
파앙
뭐하는 거야!
조심 좀 해!
주머니에 라이터가 들어 있다고!
이글이글
파앙 파앙 파앙

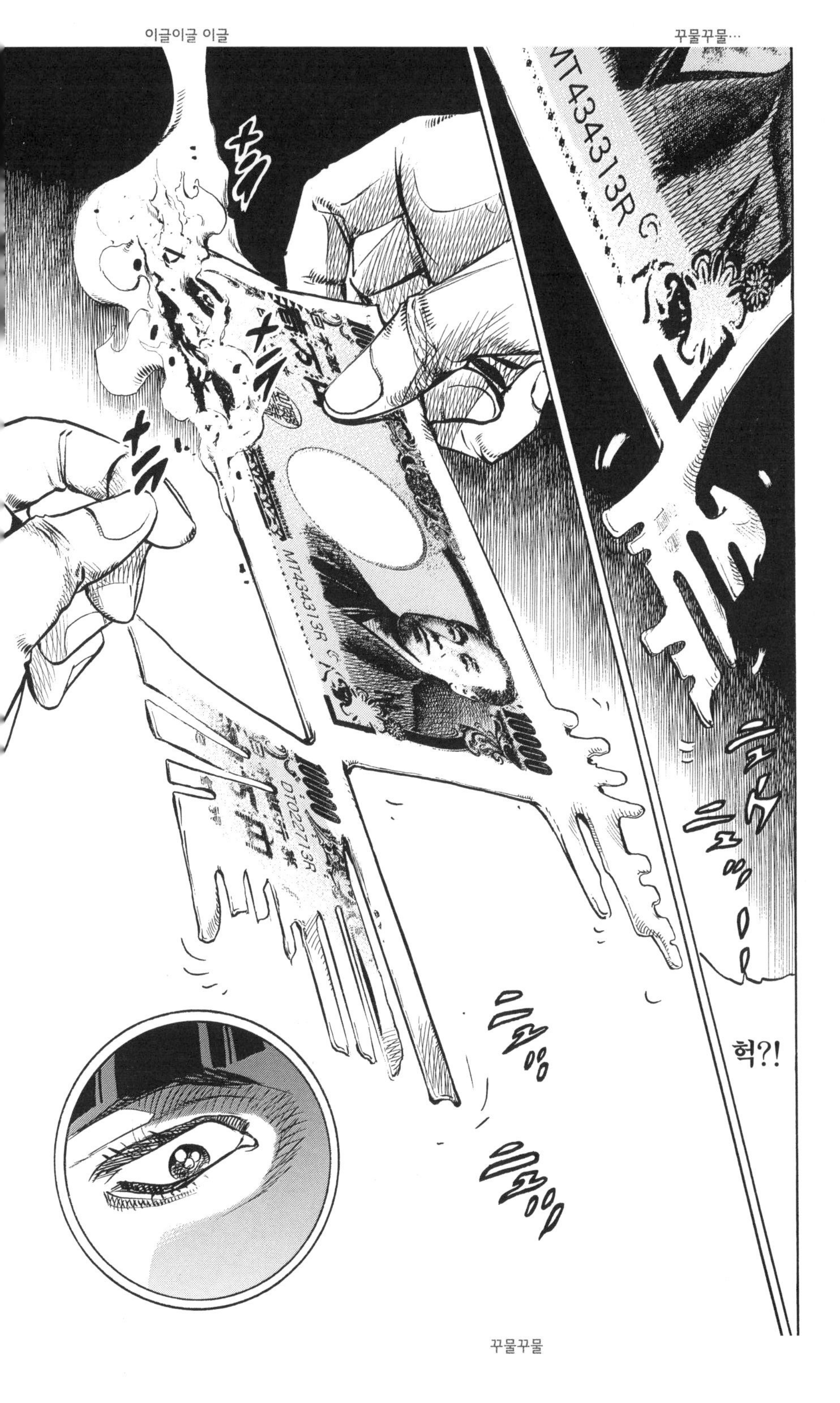
꾸물꾸물…
이글이글 이글
헉?!
꾸물꾸물

이글이글 이글이글
도도도 꾸물꾸물

꾸물꾸물
아…아니, 뭐야? 그거어어…?!
다… 당신.
아까부터 전혀 줄어들지 않아… 증식하고 있어…
늘어… 났다고? 맞아…
전부 '13'으로 끝나.
이건… 돈이 아냐! 이건!
그 돈 어디서 난 거야?
어… 어떻게 그렇게 늘어난 거냐고?
이봐! 불을 꺼!
불을 끄라고─!
우오 아아아 아아아 아아아아!
도도도

화르르르르르르
13R
깜짝
흔들흔들
끄윽
끄윽

죠슈,
자냐!
일어나봐라,
소파가
침으로
범벅이
됐구나.
……
아아!
앗,
여긴!!
아…
아빠!
두리번두리번
벌떠억
어젯밤
여기서
잠든
거냐?
설마… 너
술 먹고
들어온 건
아니겠지!

아침—!
꾸,
꿈… 이구나 …
좀 비켜 봐라.
미키 료스케* 영상 보면서 체조하게.

* 일본의 남자 배우이자 헬스 트레이너. '롱 브레스 다이어트법'으로 유명하다. (역주)

콰오오오오옹
우오와 아아아 아아아 아아앗!

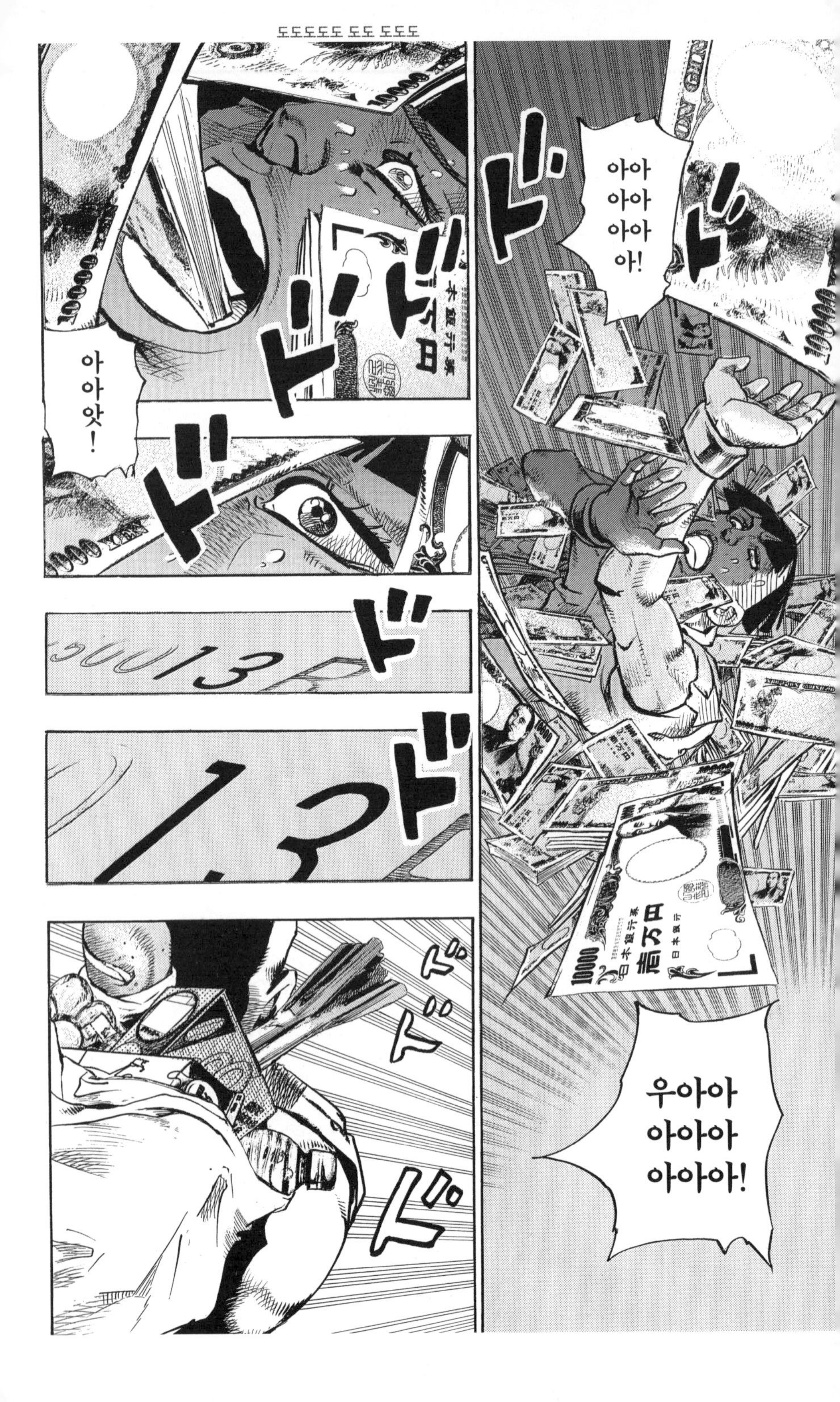
도도도도도 도도 도도도
아아 아아 아아 아!
우아아 아아아 아아아!
아아앗!

부스럭부스럭
바스락
짤랑짤랑
짤랑
어이, 니가타케 자이헤이 맞지?
드디어 찾았다!
찰칵

음!
ド
ガ
ン
!!
우당타아앙!!

고고고고고
네 짓이야… 너 때문에 시작된 일이었던 거야…! 죽여버린다!
내가 누군진 알겠지?
아
고고고
당신 이었군… 고마워…
아아… 정말 고마워.
진심으로 고마워…
밀라그로맨의 지폐를 마침내 "파괴"한 거겠지?
그래서 당신은 이리 온 거야.
당신이 올 줄은 알고 있었어… 아니면 지폐를 태운 건가?
고고고
뭣?!

오옷…
태우든 찢든 마찬가지지만.
과연. 태운 쪽인 모양이군.
잘 들어, 내가 한 짓이 아냐. 나도 '저주'가 옮았을 뿐이야.
이건 밀라그로맨의 '저주'야… 돈을 파괴하면 완전히 옮지.
콰악
이 자식——! 죽는다!!
내 이야기를 듣는 게 이로울걸… 위험한 상황 아냐? 당신 자신을 위해서라도 말이야.

그러니까, 경위를 설명해주지.
난 2년 전— 라이브를 보러 독일에 갔었어——…
"함부르크 여행" 말이야. 가수 이름은 아무래도 상관없겠지.
고 고고고고고
전철로 호텔에 돌아갈 수도 있었지만, 택시비가 없었거든.
그만… 나도 모르게
공연장 출구에 있던 노숙자의 깡통에서 지폐를 한 장 슬쩍했어.

고고고고
그게 “밀라 그로맨의 지폐”였지…
13
위조 지폐가 아닌데도 끝번호는 무조건 ‘13’이야.
E0472007213
EURO 20

처음엔 기분좋지… 조금씩 돈이 늘어나니까.
하지만 번호는 언제나 ‘13’으로 끝나.
쓰면… 늘어나서 돌아와.
그러다 조만간 남에게 돈을 줄 수도, 교환할 수도, 버릴 수도 없게 됐다는 걸 알아차리지. 돈이 전혀 줄어들지 않아.
결국 난 지폐를 세절기에 넣어버렸어. 맨 처음 노숙자에게 돌려준다는 것 말고 다른 방법은 없었는데 말이야.
그렇게 함정에 빠지게 되는 거지.
그게 밀라그로맨의 ‘룰’이야.

그걸로 완전히 끝난 거야… '저주'가 완벽히 옳은 거지.
돈이라면 얼마든지 있는데도 두 번 다시 아무것도 살 수 없게 돼.
그 노숙자는 노숙자인 척하면서
나 같은 녀석이 '저주'를 가져가 주기를 기다리고 있었던 거야.
아이돌 이름이나 생일 같은 걸로…
현금 카드의 비밀번호를 때려맞혀볼 녀석을 말이야…
나도 일부러 기다리고 있었어.
CASH CARD
니가타케 자이헤이
그러니까
이건 밀라그로맨의 '저주의 룰'이야.
이… 이 자식— 역시 날 함정에 빠뜨린 거냐—!
콰아악

난 당신이 지폐를 '파괴'하길 기다리고 있었을 뿐이야.
2년 걸렸어.
2년만에 마침내 당신이 나타나준 거라고.
말만 안 할 뿐 다들 지폐에 관해 알고 있어… 경찰도 알고 있고.
정치가도 알고 있지… 뒷세계 사람들은 특히 조심하고 있어… 지폐를 훔쳐주지도 않는다니까.
선불리 녀석들에게 떠넘기려다가 맞아 죽거나 하지 말라고.

고고고고고고
도시 전설 이야.
듣자니 "밀라그로맨"의 기원은 무기 상인 이었다나봐.
그 상인의 이름도, 나라도, 시대도 알 수 없지만 굉장히 우수한 무기를 만들어 판 덕분에 전 세계의 전쟁을 통해 대부호가 되었다나봐.
그 자손도 사업을 물려받았어.
하지만 어느 순간— 상인은 기나긴 소송 끝에 패소해 5백억 달러의 배상금을 지불하게 됐지.

고고고
그 상인은 이미 정신이 망가져 있었어.
가족들을 죽인 다음 자기 몸에 불을 질러 자살했지.
'저주'만이 남았어… 불타 죽은 시체 곁에 있던 한 장의 그을린 지폐가…
고고고
최초로 생겨난 '밀라그로맨'의 지폐였던 거야.
'저주'는 어느 나라로 달아나도 지폐의 종류를 바꿔 반드시 쫓아와.
고고고고
이동해 오는 거야.
한 번 받으면…
'누군가'에게 지폐를 넘기는 수밖에 없어.

당신이
나타날 때까지
2년 걸렸어.
내 방도 어제까지
지폐가 잔뜩
넘쳐흘렀지.
'나나미 레나'짱의
포스터는 당신 덕에
오랜만에 '구매'
할 수 있었지.
행복한 '쇼핑'이었어.
즐거운
일이라곤
일절 없어.
다시 한번
충고하지.
의외로 조만간
마음이 약해지는
순간이 올 거야.
지폐를
누군가에게
떠넘긴 뒤 그 녀석이
'파괴'하게 만드는
수밖에 없어.
밀라그로맨의
'저주'는
절대로
사라지지 않아.
고고고고

와작와작 와작와작
난 2년간 그렇게 살았어… 조금만 더 있으면 굶어죽을 뻔 했다니까.
그동안… 먹고살기 위해 '먹을 것'은 반드시 사야 하잖아?
수도 요금, 광열비나 핸드폰 요금을 조심해… 나도 모르는 사이에 돈이 계속해서 들어오거든…
'먹을' 때마다 돈이 늘어나. 그러다 머지않아 식욕이 사라지지.
신발이나 옷은 사지 말고… 낡은 걸 얻어 입는 게 제일이야.
고고고고고
도도도도

이게
내가 당신한테 해줄 수 있는 이야기의 전부야.
그럼 잘 가라고…
당신… 내려가는 계단이 어딘지는 말 안 해도 알지?
푸슉

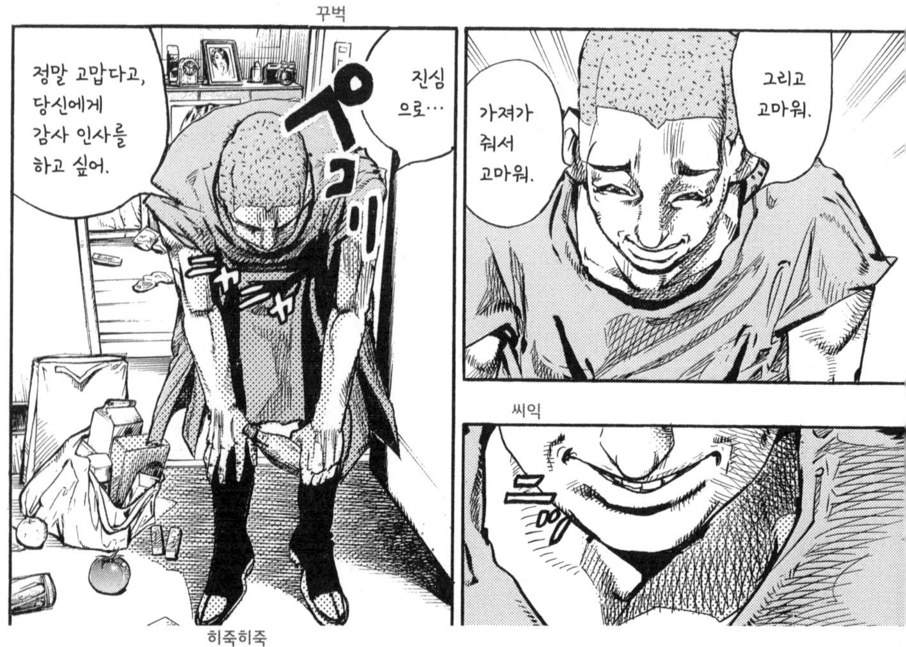
꾸벅
진심으로…
정말 고맙다고, 당신에게 감사 인사를 하고 싶어.
히죽히죽
그리고 고마워.
가져가 줘서 고마워.
씨익

도도도도

"너트 킹 콜".

지금… 거기 박힌
"볼트"와 "너트"는
서로 다른 두 물질을
합체시킬 수 있어.

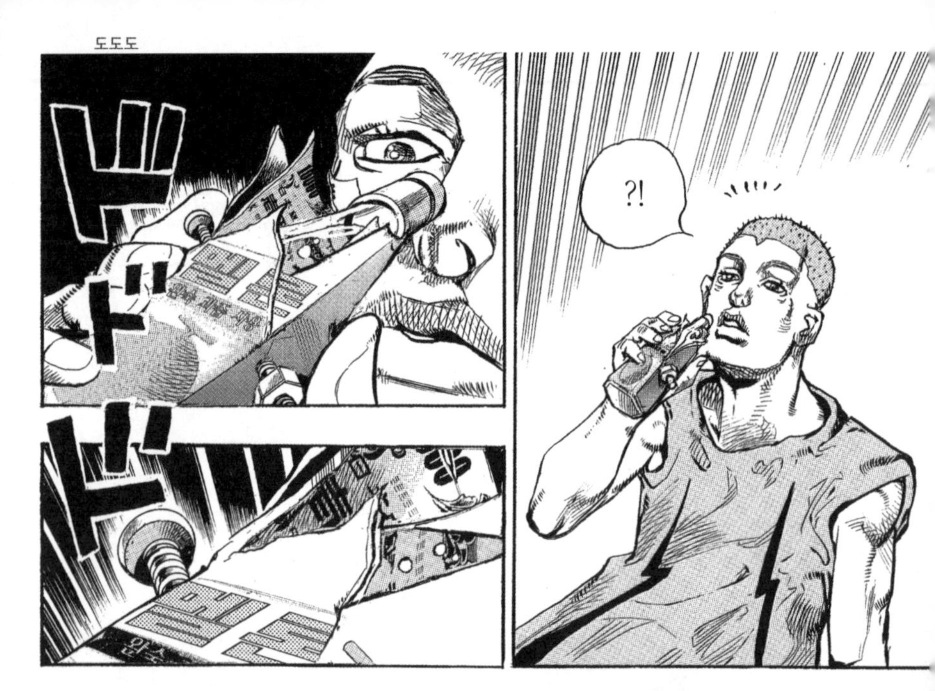
도도도
?!

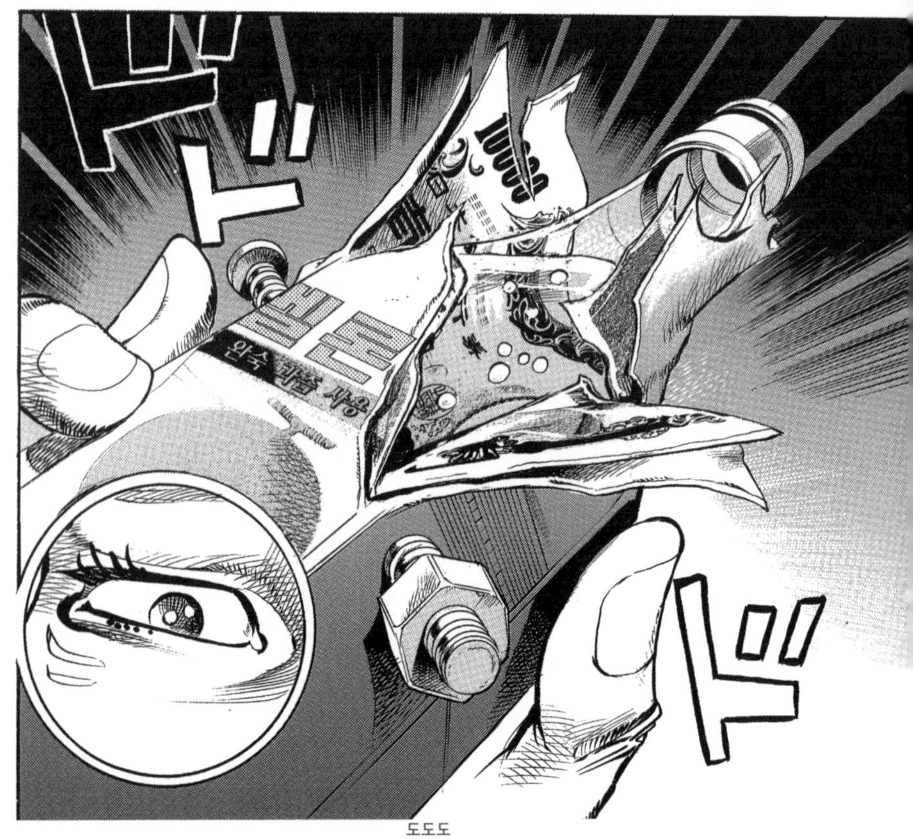
도도도

도도도도
각오 하라고.
팔랑
앗!
타앙
도둑잡기 게임을 하고 싶으면… 다른 녀석을 찾아보시지.
두 번 다시 네 녀석이 내 앞에 나타나지 않도록
지금 이 자리에서 혼쭐을 내둬야겠다!
도도도

도도도도도도도도
타앙
우아아아아아!
꾸엑…
잠깐이라도 좋아!
부탁이야…
잠깐이라도 좋으니…
이 돈을
가져가 줘어—!
아주 조금이라도 좋아아아아아——!

쳇!
허접한데다… 죄다 베껴와서 도저히 못 들어주겠는 음악 주제에…
어째선지 성공한 녀석들…

부우우우우웅
하지만 나한텐…? 그런 재능조차 없단 말이지…
내겐 '뭐'가 있을까?
아주 조금도…
…저 녀석과 나는… 나이도 같은데…
밀라그로맨
② 마침

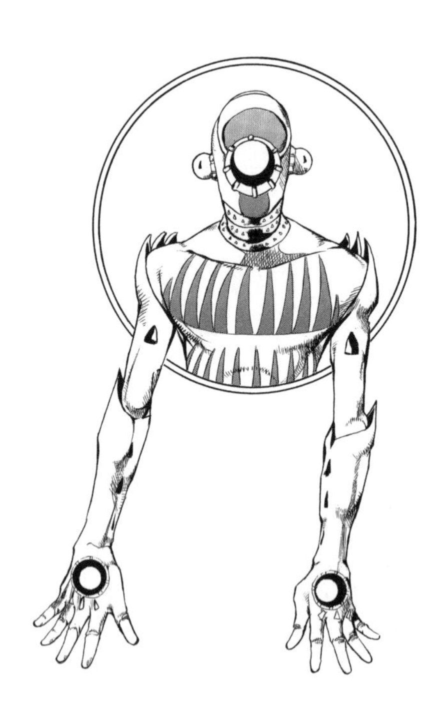

스탠드 명 ——

밀라그로맨

본체는
어느 시대에 살았던
무기 상인의 저주라고들
하지만, 그보다도 전부터
존재했던 모양이다.
이 저주를 받으면
점점 소지금이 늘어난다.
그걸 좋다고 여기는
사람이 있다면, 그 나름대로
좋은 일인지도 모른다.

#058 히가시카타가의 아침

고고고고

내 이름은
"히가시카타
죠스케".

원래 내 정체는
쿠죠 죠세후미(19).

그리고 몸의 절반은
시신으로 발견된
키라 요시카게(29).

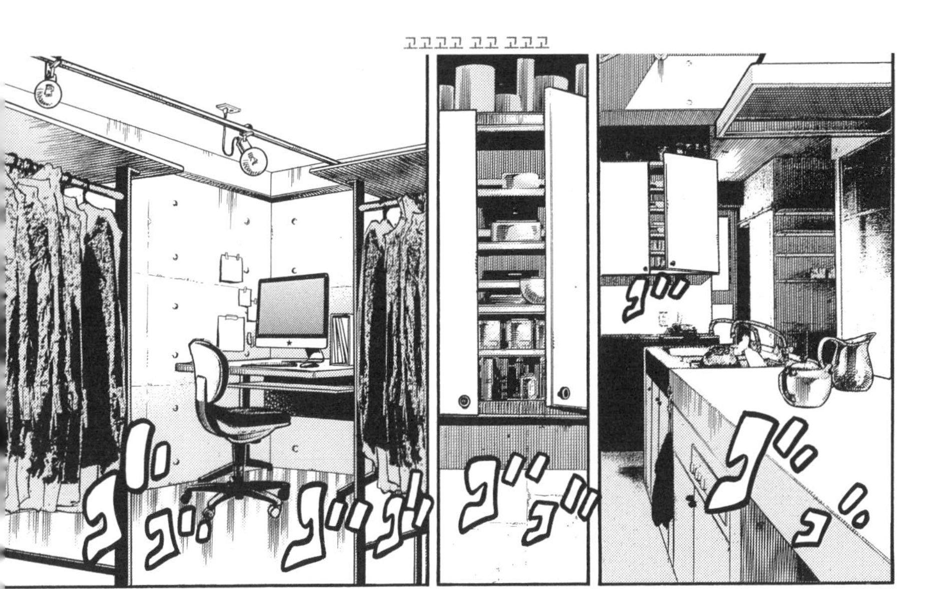
고고고고 고고 고고고

내 호적을 빼앗아…
나로 위장해
생활하고 있던
"바위 인간"으로부터
그 사실을 알아냈다.
그 바위 인간—
'다모 타마키'는
마지막에 처리했다.

그러나
원시시대 때부터
생식해온 "과일"은
아직 어딘가에
존재한다.

놈들이 혈안이 되어
쫓고 있는…
이 세상에서 그들만이
독점하고 있던
"로카카카"라는 이름으로
불리는 과일이…
철커엉
다모칸 세탁소
CLEANING
그리고
로카카카에 의한
"등가교환"
현상이…!!
고고고고

부우우우-우우웅

고고 고고고고
철컥 철컥 철컥
고고고고고

어떻게 된 거야?!
거기 당신! 의사인가?
당신이 여기 담당이야?

홀리 씨의 병실은 왜 옮긴 거야?
전에는 다른 동이었다고.
여긴 환경이 너무 열악해!
……
게다가 왜 침대에 묶여 있는 거야?
A-201
상태가 이상하잖아?!

그쪽은
가족분
이십니까?
!

……
……

그래.
내
'어머니'야.

무슨 일이
일어난
거야?
그게
말입니다
…
키라 홀리 씨의
"병원비"가
체납되어
있어서요.
8월 이후로는
'지불' 내역이
전혀
없습니다.

그동안은 지불되고
있었는데…
병원비의 지불이
중단되었어요…
보험으로
지원되지 않는
치료가 있습니다.
유감이지만
그런 이유로
병실이 옮겨진
겁니다.

올해 8월…
…까지.
!
그때까지 지불하던 인물의 이름이 '키라 요시카게'…
어디 보자—
오옷! 맞습니다.
그쪽도 가족분이시면 설명해드리죠.
A-201
-201

유감이지만 홀리 씨의 병세는 좋지 않습니다.
근래에 급속히 악화되어
자신의 '양손'과 '먹을 것'을 구별하지 못하게 되었습니다.
고고고고

고고고고고

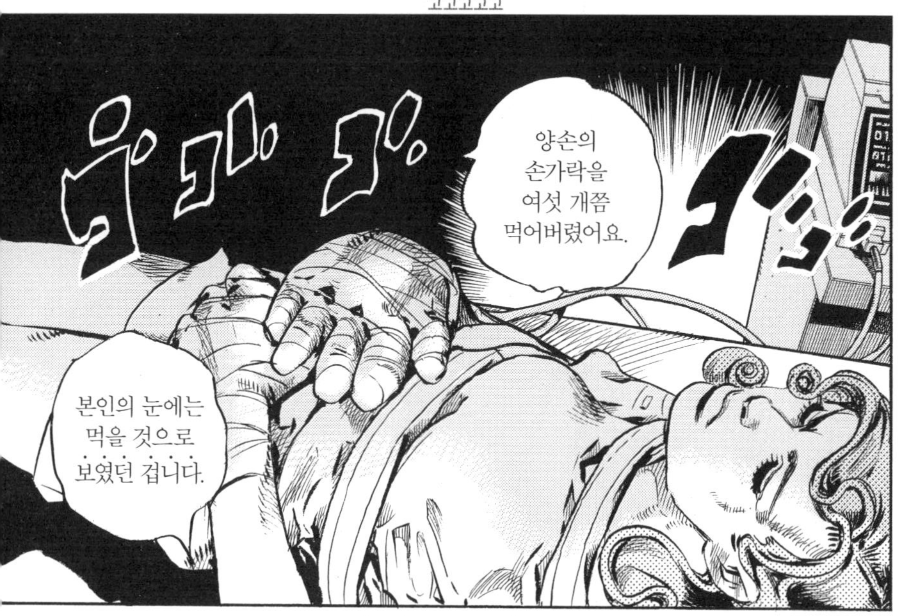

양손의 손가락을 여섯 개쯤 먹어버렸어요.
본인의 눈에는 먹을 것으로 보였던 겁니다.

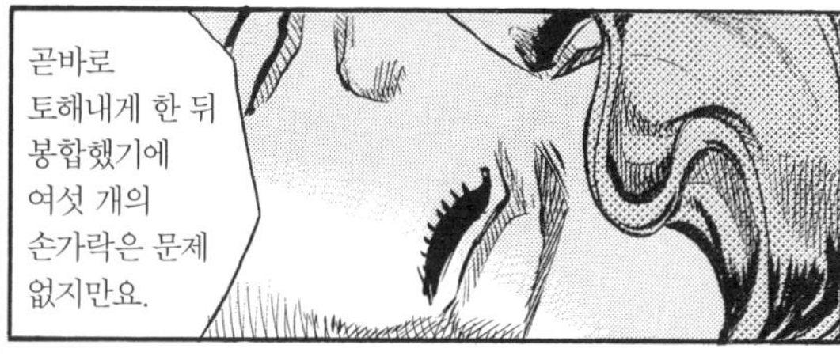

곧바로 토해내게 한 뒤 봉합했기에 여섯 개의 손가락은 문제 없지만요.

하지만 앞으로는 점점 더 몸이 쇠약해질 겁니다.
묶어둔 것도 그 때문이고, 지금은 약을 투여해 재워뒀죠.

당신들이 치료를 그만둬서 악화된 거 아냐!
현재의 의료 기술로 홀리 씨의 병을 치료하기는 불가능하다고 키라 씨에게 이미 말씀드린 바 있습니다.
치료가 중단된 건 병원의 책임이 아닙니다…

그동안의 치료는
증상을 완화하고 진행을 늦추기 위한 것에 불과 했습니다.
이런 말씀 드리기 죄송하지만 단지 그뿐이에요.
'키라 요시카게'가 그동안 얼마를 지불했지?
……
……

비급여 치료는 하루에 12만 엔이 듭니다.

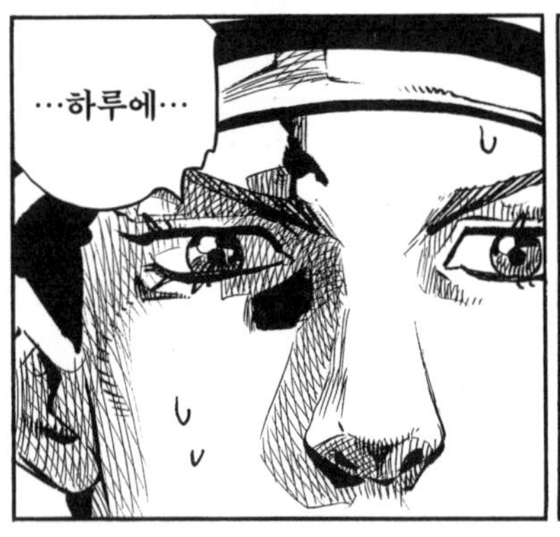
…하루에…

허억
허어허어
허억

그랬군…
우…
그런 상황
이었군…

대체…?
이 기분은
…?!
뭐지?!
내
어머니…
갑자기…
치밀어오르는
이 '기분'은…?!
우웃!
우웃!
크윽!
고고고 고고고고

고고고고고
괜찮으십니까?
고고고

키라 요시카게가 내던 비용은 내가 이어서 지불하겠어!!
단, 분명히 말해두지…
홀리 씨가 원래 받던 치료를 재개해줘.
고고고

홀리 씨에게
이 이상 무언가
"나쁜 일"이
생기면…
그 이유가
뭐든 간에
난 그걸
용서하지
않겠어.
홀리 씨는
행복해져야
마땅한
사람이니까.

내 이름은
"히가시카타
죠스케".
그러나
"해야 할 일"은
알겠다.
유년 시절이나
키라 요시카게
로서의 기억도
여전히…
아무것도
모르겠다.
앞으로도…
결코…
P

도 도도도도

내가 앞으로 해야 할 일이…
"돌아오지 않는 기억" 일지언정, 그 기억이 실존했다는 걸 증명해줄 것이다.
나라면 홀리 씨를 위해 '로카카카'를 손에 넣을 수 있다!
"등가교환 현상"! 난 이미 손에 넣었던 적이 있기 때문이다!
그리고 '돈'이 필요하다!
도도도도

툭
으음
……
……
DVD
DVD
니지무라 씨, 좋은 아침.
좋은 아침 입니다.
오빠, 좋은 아침.
엉.

스으으~~
으으으읍

하아후우우 우우우우우 ———!

아빠, 아침부터 왜 화가 났어~~ …?
후우우 우우우우 ——!
좋은 아침.
좋은 아침.
좋은 아침, 하토 언니! 좋은 아침, 죠스케!
빼꼼

화난 게 아냐, 다이야… '롱 브레스'란다.
체조하고 있는 거야… 늘 보는 거잖니!
하아아아아

아앗 ~~~!
미키 료스케 구나아 ~~~
소파에 DVD가 있던데—!
그렇군!
다들 좋은 아침.
응.
아빠.
좋은 아침 입니다.

뒤적뒤적

음

딸깍
어흠
오랜만
이네…

어라아
~~~?
저
여자
누구
야아?
언제
부터
있었지?
앗!

맞아! 아까부터
모르는 여자가
우리집 소파에
앉아 있어!
~~~

우당탕탕 콰다앙 우당탕
우오오오 아아아아아아앗!!
아앗!
아앗!

다…
대체 어떻게?!
당신!!
아빠?
저 여자! 아는 사이야?
?
'죠슈'…
가족사진 한 장 안 보여 주던?

뭐?!
설마…
저 사람은 …!!
말도 안 돼…

모두 잘 지낸 것 같구나.
넌 다이야지?
예쁘게 컸구나. '열여섯 살'?
이 집 여자는 '스무 살' 때까진 가슴이 컸다가… 그 뒤로는 작아진단다.

으으음!
넌 죠슈… 이상한 헤어스타일 이네.
왁
옆머리는 나지 않는 거니? 하긴 넌 우유를 통 마시질 않았으니까 ~

하토는 여전히 미인이구나.
들어갈 '입入'을 사람 '인人'으로 읽긴 했지만…
이거 설마…
어라앗?!!
쌀쌀맞게들 왜 그러는 거니이?!
어쩜…
내가 행방불명이 됐다든가 아니면 죽었다고 들은 모양이구나.

당신
…
말도 안 돼…

당신도 참! 해도 너무했어.

누구?

이 인간 누구야?

고고고고
당신, 어떻게 이 집에 들어온 거야?
묘한 소리를 다 하네…
아직 내 집이기도 할 텐데.
이 집,
최근 리모델링한 것 같긴 하지만 서도오!

하토짱… 저 여성분은 …
…누구죠?
"히가시카타 카토"(52).
동생들은 아직 어렸을 때라 기억 못 하지만 당시… 난 아홉 살이었기 때문에 기억하고 있어.
고고

당신, 가족 앞에서 지금 뭐하는 건지 알기나 해?
순서란 게 있잖아!!
우선 나한테 전화부터 했어야지…
언제 출소한 거야?!
출소…
농담이지?
고고고

저 사람은 우리 '어머니'야…
어머니는 "교도소에 수감돼 있었어".
고고고고
"교도소".
……
고고고고

……
……
고고 고고고

깜짝
놀래주고
반응을 보고
싶었거든.
세상은…
거짓말쟁이로
가득하니까
말이야.

"카토"!
당신
뭐하러
왔어?!

"뭐하러
왔냐"고?
우선 애들을
만나러 왔지
왜 왔겠어!!
모두
내가 낳은
자식들인데!
게다가!

난
잘못된 일을
하지 않았어.
그때…
조상님께
맹세코 난
'올바른 일'을
했어…
…그런데…
당신은 날
저버리고서…
교도소에 처넣고…
이혼했겠다!!
…그 보상을
받아야겠어.

뭐라…
고오~~~

엄마?
내 엄마?

말도 안 돼…

모두 잊고 싶어했어… …아버지는 어머니가 집을 나간 직후 죽었다고 했고.
죠슈는 세 살, 다이야는 갓난애였거든.
하지만 어머니는 15년 동안 교도소에 수감되어 있었던 거야.

죠스케…
우리 어머니의 죄목이 뭔지 알고 싶어?

이건 확정된 사실이니까… 어차피 조만간 알게 될 거야.
저 사람이 먼저 이 집에 나타났으니 말할게.

그것도 다른 집 아이를 죽였다는 이유로.
죄목은 '살인', 유죄 판결을 받았어.
이 히가시카타 프루트 팔러가 15년 동안 성공할 수 있었던 것도 내 덕이야.
옥중에서 이혼은 했지만 그 보상은 돈으로 받아야겠어! …인생을 되찾을 거니까 말이야.
그러지 않고선 수지가 안 맞아!
고고고 고고고

저
사람…
진짜야?
내
엄마인
거야?
음!

다이야
짱!
어쩜 그렇게
볼따구니도
귀엽니?
이리 온!
엄마를
꼭 안아줘.

나한테
엄마가
있었어?

덜컹

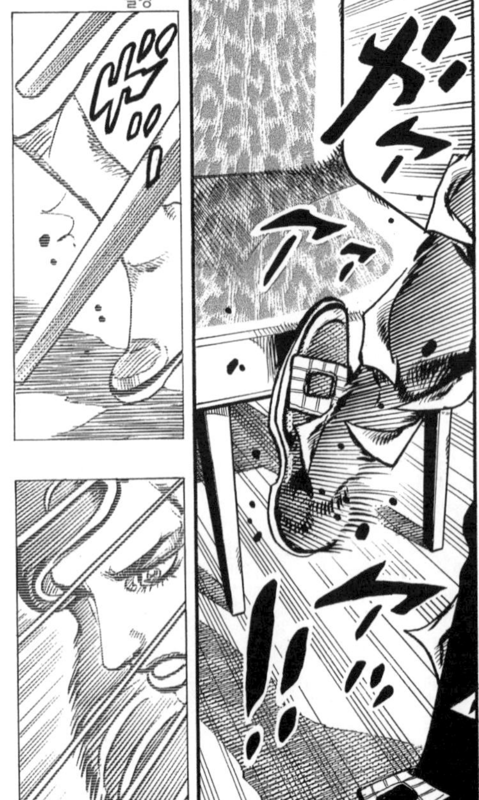

퍼어어어억!!

우당타아아아앙
조심해라아,
다이야~~~
어이쿠~

이 집은 의자가 많아서 말이야아~
걸을 때는 의자 다리를 조심해야 한다니까아.

……
……

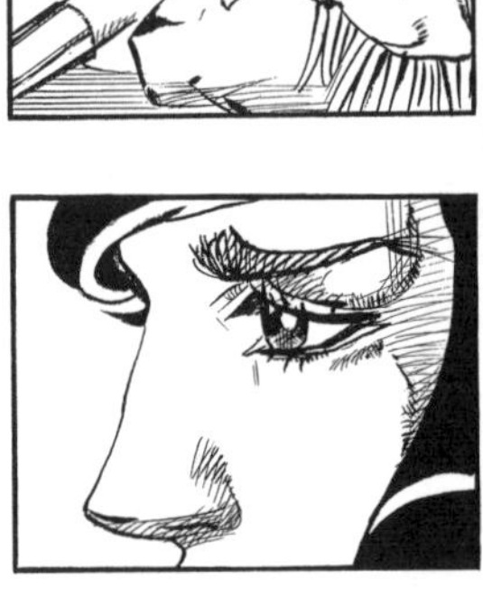

혹시 의자가 없는 데서 너무 오래 생활하신 건가아? 의자가 익숙하지 않다든가아…
볼썽 사나 우니까 조심 하셔어—!

엄…
쉬잇

툭 툭

저기…
실밥이 삐져 나왔는데.
가만.

여기라구.

여기!
원피스 어깨 쪽에 실밥이 나와 있어.

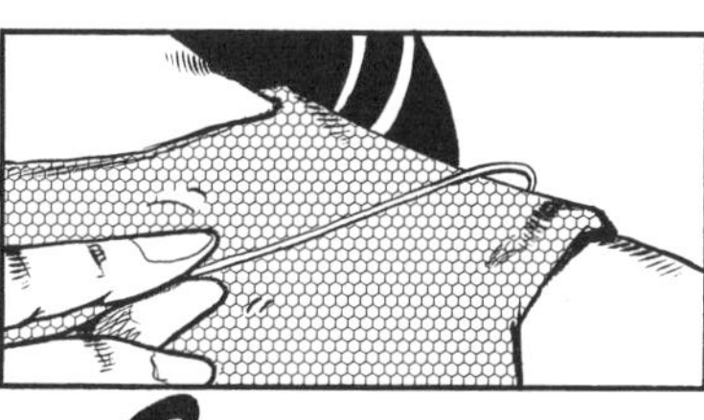

스으-윽

후두둑

훌러더어어어-엉

아아앗!
어라어라어라랏!
당신, 꽤 가슴
크잖아아아
——!

당신 진짜
내 엄마 맞아?
그럼
엄마 젖 좀 먹자!
지금이라도 좋으니
그 젖 좀 먹자고!

아아
앗!

후두둑후두둑

내
소중한
카드
가…
잃어
버리면
안 돼!

후두둑후두둑

음!
굉장히 소중한 거란다… 주워줘… 부탁이야.
단 한 장이라도 없으면 안 돼!
부탁이야… 카드 좀 주워줘…

건드리지 마라, 죠슈!! 그걸 뒤집으면 안 돼!
쓰우욱!!

투콰아아아앙

에가가
가아악——!
에겍!
아아
아~
확실히
이 집은
의자가 많아서
하나 정도는
"카드 사이"에
숨겨도
알아차리지
못하는구나—
계속! 줄곧!
모두 사랑했어!
단 하루도
잊지 않고!
앞으로도
그럴 거고!
만만히 봤다간
가만 안 둘 줄
알아!
날
만만히
봤겠다!
하지만
언제나 널
사랑했단다!!
아가가가각

엄마니까
당연하잖아
——!

우갸
아가각
드드드득

흥! 오늘은 호텔로 돌아갈래.
모두 쌀쌀맞게들 구니 원…
앗, 오빠!
큰일났어! …엄마래.

14 히가시카타가의 아침 마침

옮긴이 **김동욱**
홍익대학교 출신. 게임 및 IT 기술 번역으로 2000년대 초 번역과 연을 맺었다.
이후 애니메이터 등 다방면으로 서브컬처 업계에 종사하다가 출판번역에 입문하여
현재는 전업 번역가로 활동하고 있다. 옮긴 책으로는『스톤 오션』『스틸 볼 런』등이 있다.

죠죠의 기묘한 모험 Part 8

죠죠리온

제14권 히가시카타가의 아침

초판인쇄 2023년 6월 16일
초판발행 2023년 6월 23일

지은이 아라키 히로히코
옮긴이 김동욱

책임편집 조시은
편집 김지애 이보은 김지아 김해인
디자인 백주영
마케팅 정민호 김도윤 한민아 이민경 안남영 김수현 왕지경 황승현 김혜원
브랜딩 함유지 함근아 박민재 김희숙 고보미 정승민
제작 강신은 김동욱 임현식
원화수정 윤정아

펴낸곳 ㈜문학동네
펴낸이 김소영
출판등록 1993년 10월 22일 제2003-000045호
주소 10881 경기도 파주시 회동길 210
전자우편 comics@munhak.com
대표전화 031-955-8888 | 팩스 031-955-8855
문의전화 031-955-3576(마케팅) | 031-955-2677(편집)

ISBN 978-89-546-9276-2 07830
978-89-546-8211-4 (세트)

인스타그램 @mundongcomics
트위터 @mundongcomics
페이스북 facebook.com/mundongcomics
카페 cafe.naver.com/mundongcomics
북클럽문학동네 bookclubmunhak.com

www.munhak.com